# Angel Beats!
エンジェルビーツ

## -Track ZERO-



rebels against the god

麻枝 准

Illustration ● ごとP

Character Design ● Na-Ga

# Angel Beats! エンジェルビーツ -Track ZERO-

## Track List

# 第1話 二人のロケット

-Track ZERO-

屋上のフェンスに登り、見渡す。

眼下にはトラック線が描かれた運動場、左手にはサッカーグラウンドにテニスコート、さらにその隣にはフェンスが張られた立派な野球場。

振り返れば、三角屋根の近代的な建物。さらに後ろには団地のような棟が立ち並ぶ。

この周囲を取り囲むすべての建物がこの学校のものなのだろうか。

だとしたら、とんでもなくでかい学校だ。

そして、その向こうの世界をじっと目を凝らして見ようとした。

この学校の外だ。

ただ鬱蒼《うっそう》とした森が広がっていて、その先は薄く霞がかっていてよくわからない。

「なんなんだ、ここは……どうなってんだ……」

「せーのっ」

後ろで女の声がした。

どすっ！

「うわああああぁぁぁぁぁ――……」

「はっ」

気づくと、ベッドに横になっていた。

白で統一された室内。

嗅ぎ覚えのある消毒液の匂い。

保健室のようだった。

隣にはヘアバンドをした見知らぬ女生徒。

「なあ……」

「あなたが言いたいことはわかるわ。そう、あなたが考えてる通りよ。言わなくてもわかるわ」

「なんのことだよ！　言うよ!!　蹴り落としてくれたのはてめーかよっ!!　死ぬとこだったろ!!　つか、あの高さから落ちてよく生きてたな、俺!!　奇跡が起きたよ!!」

俺は起きあがり、激しくつっこんだ。そうしてから、体が満足に動くことに驚いた。

「あら、死ぬかどうか試そうとしてたんじゃないの？」

「どんな度胸試しだよっ」

「なあんだ。思ったよりバカなのね。とっくに気づいてるのかと思った」

毒づきながら腰を左右に捻ってみる。なんの痛みもない。やや、凝ってはいるようだが。

その女生徒は顎に手を当て、鼻から息をふんっとひと吐きし、呆れたようにそっぽを向いた。

「なんの話だよ」

と訊いたところで、

「あなたたち、授業どうするの？」

ヘアバンドの女生徒の向こうから別の女性の声がした。養護教諭のようだ。

「あー、出ます」

女生徒が振り返り、そう返事をしていた。

「場所を変えましょ」

直後、チャイムが鳴り渡った。

女生徒について、再び屋上に出る。

「で、なんだって？　俺が何に気づいていないって？」

「ここが死後の世界だってことよ」

死後の世界だって？

「んな馬鹿な」

「あなたには死んだ記憶があるはず。目覚めたらここにいた。違う？」

そこまで言われて、はっ、と息をのむ。

最後の記憶を辿《たど》ってみる。あれは事故だった。

迫る大型トラック。

俺は酩酊としていて、かわすことはおろか、動くことすらできなかった。

訪れる衝撃。空と地面が何度も入れ替わって見えた。

やがて止まると、空を見ていた。体がズタボロなのがわかる。とにかく全身隈無《くまな》く痛い。

いてぇ……いてぇ……と俺は繰り返し呟いていた。

死ぬんだな……という確かな予感とともに、意識を失った。

次、目覚めたら見知らぬ場所に倒れていた。花壇に囲まれていた。

見知らぬ制服を着ていた。ゆっくり立ち上がり、体を確かめてみると、怪我はなく、五体満足だった。

同じ制服を着ている奴らが目の前を通りすぎていく。その先を目で追うと、校舎のような建物に次々に吸い込まれていった。

状況が何ひとつ把握できず呆然と立ち尽くしていたら、生徒会長と名乗るひとりの女生徒が俺の手を引っ張っていた。

さっきの建物はやっぱり校舎のようだった。そこには自分の下駄箱があり、教室には自分の席があった。

教師がやってきて、当たり前のように始まった朝のホームルーム。見知らぬクラスで、俺の名前が呼ばれた。

いないのか、と問われたので、います、とだけ答えた。するとその間抜けさにか、女生徒たちから笑いが漏れた。

そのまま次の奴の名前が呼ばれた。

そうして出席は取られていった。

どういうシステムになってんだ、この学校は。突然現れた奴の下駄箱や席が用意してあり、誰もがそれを自然に受け入れる。

なんなんだ、ここは……。

そういう朝を数時間前に迎えたことを今、思い出した。

「ようやく理解した顔ね。じゃ、やることはひとつね。結託しましょう」

「いや、何ひとつ理解していないから。困惑のただ中だから。そもそも、おまえは誰だ？」

「人間よ」

「馬鹿にしてるのか？」

「あなたねぇ、少しは頭を使いなさい。あたしをあまり失望させないで。これからこんな奴と組むのかと思うと、うんざりしてくるわ……」

「言いたい放題だな……」

「じゃ、考えてみなさいよ」

不敵な面でじっと見つめられる。なんなんだ、この状況は……。

「く……」

その姿勢は頑として動かない。考えるしかないようだ……。

目の前にいるのはどう見ても人間じゃないか。俺だって人間だ。

ん……？

「じゃあ人間じゃない奴がいるってことか……？」

「二十五点」

「点数なんて訊いてねぇよっ、答えろよっ」

「だから、あたしを失望させないでって言ってるでしょ」

男の俺がうろたえるほどの目つきで睨《にら》まれる。

なんて女だ……。美人ではあるが……。

人間じゃない存在……。

確かに俺は、突然現れたはずの〝俺〟という存在を、それまでもずっといたかのように受け入れたクラスの連中に、薄ら寒いものを覚えた。

「え、まさか……あいつら生徒が人間じゃない？」

「八十点」

「嘘だろ……じゃ、なんだって言うんだ……」

「先に満点取ってくれるかしら？」

「じゃあ、教師たちも人間じゃない」

「九十点」

いいぞ……。あと、十点だ。

「わかった！　残るはモンスターで学校の外を徘徊《はいかい》してるんだ！」

「あー、やっぱアホだったかぁ！　こいつは残念！　他の奴を探すわ。さようなら」

背を向けて、去っていこうとする。

「待てよっ、ここまできて、そりゃねぇだろっ、教えろよ！」

「なら答えなさいよ。今、最大のヒントをあげたわよ。これで無理なら今度こそ、さようならね」

どうしてだろう……。これだけ言いたい放題言われておきながら、こいつに見放されてしまうことに不安を覚えた。クラスの連中にはなかった、人間味を感じる。そう、こいつはここで初めて出会えた本物の人間なんだ。見放されたくない……。

そして、こいつはこの世界について知っている。それを知る資格を今、試されているのだ。

俺は彼女の先ほどの言葉を心の中で反すうした。

答えろ……完璧に。

「答えはこうだ。他の奴を探す。つまり、俺たちと同じく死んで、この世界に来た人間が他にもまだいる」

「九十九点」

落胆した。

「まだあるのかよ……」

「あたしは最初になんて言ったかしら？」

「覚えてねぇよ……」

「思い出しなさい」

フル回転させる。スポーツばっかしてて、ぜんぜん使ってこなかった頭を。そうして思い出した。大事なキーワードを。

「ここが死後の世界……」

「そう。なら後は誰がいるのかしら？」

「俺たちのような死人がいて……後は……」

後は……なんだ？　言葉が続かない。

「ほんとバカねぇ。その死人たちの来世は誰がもたらしてくれると思ってんのよ」

「え……まさか……」

「そのまさかよ。言ってみなさい」

「神」

そのまさかを口にしていた。

「……ようやく百点。なんてバカなのかしら」

「待てよ、マジで神様がいるってのかよっ、どこにいんだよ、会ったことあんのかよっ⁉」

「落ち着きなさいよ。会ったことはないわよ。でもいなきゃ矛盾するじゃない。ここは死後の世界で、あたしたちはここで最後に心の整理をして、成仏し、生まれ変わる。そんな都合のいい世界が勝手に現れると思う？　こいつは心の整理がついたなって、誰のさじ加減なのよって話よ」

「神様のさじ加減ってわけか……」

「あたしたちが知っているような存在じゃないかもしれない。でも、それに近い存在はいるはずよ」

「どこにだよ……空の彼方にいて見えないかもしれない」

「なら、ロケットを作るまでね」

眉ひとつ動かさずそんな馬鹿げたことをさらっと言ってのける。

「んな無茶な」

「あなた、とことんバカね。時間は存在しないのよ。逆に言ったほうがわかりやすいかしら？　あたしたちには時間が無限に存在するの」

「歳をとっていつか死ぬだろ」

ぽかっ！

「いでぇ、何すんだよっ」

思いきり殴られた。

「呆れてものがいえねーって時は殴ることにしたわ……」

「なんでだよっ」

「死人が歳を取って死ぬかバカあぁぁ――っ‼」

「ああ、そりゃそうか……。ってことはまさか不死身なのか俺たち？」

どすっ！

スカートがひらりと翻っていた。その下には見事なおみ足。先は俺の土手っ腹にめり込んでいた。

「ぐおぉっ……蹴りは聞いてない……」

「なんのためにご丁寧に屋上から突き落としてやったと思ってんだぁ、あぁぁあん⁉」

制服の襟を掴まれ、顔を近づけて凄んでくるものだから、唾まで飛んでくる……。

「ああ、そうか、そうだったな……」

この女には一生欲情するまい……。

いや、その一生はすでに終わってやがんだ。

「じゃ、人間じゃない奴らはなんなんだ？」

「ここの学校生活を、生きていた時と同じ日常と見せかけるための飾りよ」

「じゃあ話しかけても無視されるのか？」

「いえ、会話は成立するし、なりたければ友達にもなれるわ。あなたがそうだったように素人には見抜けない」

「どうやったら見分けられる？」

「あなたがフェンスを越えて飛び降りようとしていたように、不自然な行動を取ってる奴が人間。それ以外が連中」

「だから俺が人間だとわかったのか……。ちなみに飛び降りようとはしてないからな」

「どっちでも同じよ。あんな場所には誰も出て行かないわ」

「で、仲間になれたのかね、俺は」

肝心なことを思い出し、訊く。

「まあね。先は大変思いやられますけど」

嫌味たっぷりに言われる。

そういや、その仲間の名前をまだ知らない。

「名前は？　俺は日向」

「ゆり」

「えー」

「何よ」

「お袋と一緒なんだよ」

「そこに何か問題が？」

「名前を呼ぶ時、お袋を呼び捨てして呼んでるみたいで気持ち悪い。名字は？」

「ありふれすぎてて好きじゃないの」

それはわかる気がする。俺も下の名前で呼ばれるのは好きじゃない。それは尊重しよう。

「あだ名とかはねぇの？」

「ずっと、ゆりって呼ばれてきたの」

「じゃ、ゆりっぺ」

そう提案してみた。

「……⁉　何その最っ悪なセンス……」

「かわいくていいじゃん、ゆりっぺ。俺のことはひなっちと呼んでくれていいぜ。そう呼ばれてたんだ」

-Track ZERO-

「呼ばないわよ……」

俺はひと息つき、伸びをする。

「で、何かをやるって言ってたよな、おまえ」

腰を回転させ、体をほぐしながら。

「ええ、そうよ。手伝ってもらうわよ」

「何をすんだよ」

「そりゃあ、決まってるじゃない。神のあぶり出しよ」

「ほぅ……」

そろそろ状況に頭が対応してきたようで、その言葉にも俺は驚くことはなかった。

「どうやって？」

「この学校の生徒を全員血祭りに上げる。慌てて出てくるに違いないわ」

「おまえ地獄に突き落とされるからな……」

「はっ！　地獄なんてものがあったら、ここがまさに地獄よ。こんな惨たらしい生前の記憶を持たせたままにして、こんな世界へ放り込むなんて」

ゆりっぺは解いていた腕を組み直し、天を睨みつけた。

「生前の記憶、か……」

おれの記憶は忌々しいものだ。

ゆりっぺは言っていた。

ここは、心の整理をつけて、次の生に向かう場所なのだと。

あんな人生で……心の整理なんてつく日が来るのだろうか……。

ああ、だから時間は無限にあるのか。

よくできてやがる……。

なら、まさにここは地獄かもしれない。

「方法はまあ、待て。神のあぶり出しに成功したら、ゆりっぺはどうするつもりなんだ？」

「そんなの決まってるじゃない。理不尽な人生を強いたそいつに一発どぎついのを、いや何発もかましてやるのよ」

「神をどつきまわす女か……すごいキャラだな……斬新だ……」

「でしょ。きっと歴史上で初めてよ」

「ああ、間違いない。歴史の教科書に載るぜ」

「じゃ、あなたは三年のクラスから血祭りにあげていって。あたしは一年からやっていくから」

去っていこうとする。

「だから、ちょっと待ったあぁ――!!」

「何よ」

振り返り、足を止める。

「他に案はないのか？　そもそもふたりでこの学校の生徒全員を血祭りにあげるのは、現実的でない気がする」

「この世界には警察なんていないのよ？　武器は野球部のバットね。よろしく」

「だから、待ったあぁ――!!」

「何よ、うるさいわね……びびってんの？　相手は人間じゃないのよ？」

「いや、だから相手の数が尋常じゃない。全校生徒なんて、何百、いや、千人以上いるぜ」

「時間だって無限にあるのよ？」

「じゃあ、こう言おう。俺は殺人鬼のような真似はしたかない」

そう言うと、ゆりっぺの表情が明らかに変わった。

「殺人鬼……そうか……そんなことしようとしてたんだ、あたし……」

「そうだ。もっとこう……人道的な方法をだな、取ろうぜ？」

「そうね……」

あれだけ勢いづいていた彼女をこんないとも簡単に引き留められようとは、俺自身驚きだ。

「あなたに案は？」

「いきなり振られてもな……」

「あなたが却下したんだからあなたが考えなさいよ。全校生徒を血祭りにあげるぐらいインパクトがあって、神様が慌てて出てきてストップかけそうなのを」

「それ、ものすごいインパクトだからな……」

それでも考えなくちゃならない。そうだなあ……と頭を掻き、思案に入る。

「夜のうちに、校舎の窓ガラスをすべて割って回るってのは？」

「本気で言ってんの？　そんなの警察沙汰レベルじゃない。全校生徒を血祭りにあげるレベルのをちょうだい」

「そんなレベル、ふたつとあるかよっ！」

「はぁ～……あなたを仲間にしたのは無意味だったかしら……」

心底呆れたような深いため息をつかれる。

「おまえの要求するレベルが高すぎんだよっ、こんなことで〝使えねー〟なんて判断すんなよっ」

「じゃ、あなたは何してくれるのよ」

「そうだな……」

俺は自分の手のひらを顔の前まで持ってきて、それをぐっと拳に変える。

「運動神経には自信がある。力もあるほうだ。なんつっても男だからな。窮地の時は、体を張ってでもおまえを守ってやるぐらいはできるさ」

「あたし、不死身なんだけど」

「そうだった――っ!!　その設定を忘れてた――っっ!!」

頭を抱え込む。

「日向くんて意外と軟派なのね。会ってすぐに口説こうなんて」

「いや、おまえを口説こうなんて死んでも思わないから安心しろ」

「死んでるじゃない」

「そうだった――っ!! その設定も忘れてた――っっ!!」

再び頭を抱え込む。

「あほね」

「何、騒いでるの」

背後から声がした。

「ちっ、現れやがったか」

ゆりっぺが忌々しげに舌打ちする。

振り返ると、見覚えのある女生徒……今朝、俺の手を引いて教室へと連れ立った生徒会長がいた。

「授業中よ」

そう続けた。

「あなたは？」

「先生に許可をもらい、注意に来たの。教室に戻って」

ゆりっぺに訊くまでもなく、こいつも人間じゃないのだろう。他の生徒の連中よりも、人間味がない。実に機械的だ。そして生徒会長という立場。この学校を学校として見せかけるための象徴とも言えそうな存在だ。

「日向くん。相手は生徒会長よ。なんかやってみせて」

ゆりっぺがそばに寄ってきて耳打ちしてくる。

「はい？」

「生徒を仕切るトップよ？　誰よりも神に近い位置にいると言えるわ。これはチャンスよ」

「ま、そうかもしれねぇけど……するって何を」

「あたしが考えて実行してくれるなら、考えてあげるけど」

「いやっ、いい……」

どうせ血祭りにあげる案しか出てこない。

「じゃあ、自分で考えなさいよ」

「わかった、とにかくいろいろ質問しまくってくる。それでいいだろ」

「それでどーなるんだか」

ゆりっぺは不満そうだったが放っておき、黙ってこっちを見ている生徒会長の前まで歩いていく。

「あのさ、生徒会長さん」

「何？」

「神様っていると思う？」

「それが今訊くべきことなの？」

「ああ、すげー大事なことなんだ。答えてくれないと授業には戻れない」

「じゃあ、わからない」

……そう来るか。

「じゃあさ、いるとしたらどこにいると思う？」

「想像もつかない」

……参ったな。知らぬ存ぜぬでは話にならないじゃないか。

もっと身近な話題を……。

そういや、こいつらは恋はするのだろうか。

それは、ふとした疑問だった。

「好きな奴、いる？」

「……？」

わかっていないご様子。

「好きな男子。いる？」

もう一度繰り返す。

「いないわ」

今度は表情ひとつ変えず即答した。

「じゃあさ、今、もし俺に告白されたらどうする？」

「わからない」

なら、試してみよう。反応が楽しみだ。

「生徒会長ってさ、結構可愛いよな。本気で思うぜ？　初めて会った時からさ、ずっとそのこと考えちゃってるんだ。これってさ、恋だよな……。なあ、生徒会長。ええと、俺と付き合って……」

どぐしぃっっ!!

俺は空を舞っていた。なぜ？　ホワーイ？

最後に見たのは、ゆりっぺの見事なキックのフォロースィングだった。

「はっ」

気づくと、ベッドに横になっていた。

保健室だった。

ゆりっぺが白い目で俺を見下ろしていた。

「あんた、女を口説きにこの世界に来たの？」

俺はがばりと起きあがる。

「てめーなっ!!　何度蹴り落とすんだよっ！　死ぬとこだったろ!!　よく生きてたな!!　また奇跡が起きたよ!!」

「あっはっはっ、だから死なないってばぁっ」

表情をコロッと綻ばせて、手を上下にぱたぱたと振る。

「だとしても、気軽にぽんぽん屋上から蹴り落とすな！」

「だって、あなた仲間になったくせに、私欲を満たすことしか考えていないんだもの」

「本気でコクってたんじゃねーよっ、決まってんだろっ！　連中は恋するのかなって思っただけだよっ」

「ふ～ん…日向くんって意外とロマンチックなのね」

「俺に言わせると、おまえにロマンがなさすぎる」

「なによ、それ。こんな世界でロマンなんて必要なの？　陰惨な記憶を刻み込まれたままで誰かを好きになれるっての？」

それを聞いて、俺はなんだか悲しい気持ちになった。

だからこそ、じゃないか……。

「俺は……なってもいいと思うぜ……。おまえはさ、性急すぎる。そんなんじゃすぐ疲れちまうぜ。だって時間は無限にあるんだろ。なら恋だってして、ゆっくりいけばいいじゃないか……」

「うわ、またこいつあたしのこと口説きにかかってる……」

「そんなつもりはねぇけどさ……俺はおまえのことが心配だ……」

神様を呼びだして、どつき回すことしか考えていないこいつが。どんなささやかな幸せにも見向きもせず、突っ走っていこうとする、その姿が。

「だから、これからも仲間でいることにする」

俺はそう告げていた。

「あたしはひとりでも大丈夫よ？」

「そんな悲しいこと言うなよ……」

「あなた、役立たずだし」

「そんなきついこと言うなよ……」

「マジで恋されたら困るし」

「ないから安心しろ」

「じゃ、あたしが日向くんのことを好きになっちゃったら？」

「え……」

思ってもみなかった言葉。

ゆりっぺの、その艶やかな唇を凝視してしまって俺は固まる。

「そん時は……」

「な――――んて、あるわけないじゃない！　あっはっは！　あなたやっぱバッカねぇ！」

けらけらと笑い出す。

……だから心配なんだよ、俺は。

目のやり場がなく、壁にかかった時計を見る。

もう夕刻だった。同時に、ぐぅとお腹が鳴る。

「死んでても腹は減るんだな……」

「五感もすべて備わってるし、眠たくもなるし、腹も空く」

ゆりっぺの意味ありげな視線がこちらに向く。

「なんだよ……」

「もうひとつの欲求もあるのかしら？　って思ったんだけど、ここまでのあなたの言動を顧みるに困ったことにありそうね、と思って」

「安心しろ。おまえにはねーよ」

「ふ～ん、じゃ、生徒会長にはあるんだ」

「ねーよ」

「ないの？　あなた、そんなんで大丈夫なの？」

「ロマンなんていらないっつったのはどこのどいつだよ」

「あたしにはいらないわよ。でも、そういう欲求がたまる男の子は可哀想だわ……。あたしにちょっとでも気があれば、何かしら手伝ってあげられたかもしれないのに。残念ね」

……⁉

俺はこいつを女として見るべきなのか……⁉

その顔を正面から見据える。

って、あれ？

もはや、見れない⁉

おかしいなあ？　そこそこ美人なのになあ？

なにか俺の顔を見て、にやつくその表情は悪魔の微笑みに見えるぞ？

ぞくぞくと恐怖が込み上げてくるぞ？

なんだこりゃ？

そこで、空が暗転するフラッシュバック。

「うわあぁぁあ！」

「どうしたの？　死んだ時のことでも思い出したの？　可哀想に……」

「おまえに蹴落とされたとこを思い出したんだよっ！」

そのつっこみに対し、またも声を出して笑うゆりっぺ。

はぁ……こいつといると、まったく退屈しないで済みそうだぜ。

死んだ世界でともに過ごすには、悪くない相手だ。


ぐぅ。


落ち着いた途端、また腹の虫が。

「あなたどれだけ食べてないのよ」

「ここに来てからは何も食ってねぇよ。それどころじゃなかったからな」

「順応力を高めなさい。大事なことよ」

「身にしみるよ。で、どこで何が食えるんだ？」

「学食で好きなメニューを」

「そいつはありがたい」

言って、俺は財布を取り出すという慣れ親しんだ行動を取ったが、ズボンのポケットには何も入ってなかった。

当然だ。そもそもこの学生服自体、いつ着せられたのかわからない未知の代物だ。

「タダでは食えないよなあ？」

「そうね。お金がいるわね」

当然、と指を立てる。

「おまえ、また物騒なこと考えてそうだ……」

「安心して。奨学金としてそれぞれに食費は用意されてるわ。事務室に取りに行けばいいだけ」

「あ、そ」

でもそこに、すでに自分の給付金が届いている、というのは不気味だった。

クラスの席と同じで、新しく死んでやってきた人用、ということだ。

「でも寄るのも面倒だから、今回は貸してあげるわ」

「そいつは助かるね」


胃にラーメンと、カツ丼をつっこむ。

「すげーな……何も変わらねぇよ、生きてた時と」

味も食感も胃の満たされ方も。

「そのふたつを一度に食べるあなたがすごいわよ」

皿とどんぶりを空にして、背もたれに身を預ける。

「ふぅ……満足、満足」

今だけは天国だ。

「あなた、消えたいの？」

ゆりっぺは、うどんをすする手を止め、俺を見ていた。

「へ？　なぜ？」

「この世界で満足しちゃったら、成仏して消えてしまう。言ったでしょ。ここはあくまでも心の整理をつける場所なのよ。思い残すことがなくなれば、即刻消える」

「腹がいっぱいになっただけでも？」

「それが生きてきた時の辛さや悲しみを吹き飛ばすぐらいの満足感ならね」

「やべー、何も考えず満ち足りてしまっていたぜ……」

「あたしはてっきり自ら胸焼けでも起こして帳尻を合わすのかと思ってたわ」

「そこまで頭回んねーよ」

「そうね。バカだもんね」

「ああ、馬鹿だよ。先に言ってくれよ」

「そういうの経験して覚えていってくれない？　あたしはそうしてきた。あなたにいちいち説明していたら日が暮れるわ」

「明ける頃に、俺が消えてなきゃいいけどな」

「あたしは構わないわよ？」

「俺が構う。十分注意して行動することにするよ」

「なんなの？　あなたやっぱりあたしのことが好きなの？」

「勘違いするな。んなわけーだろ」

「そうね。気色が悪いわ。こんな食事中に」

散々な言われようだ。

「仲間だろ、仲間。神様を見つけ出すための」

「わかってるじゃない」

納得して、再び、箸を動かし始めた。

「にしても、すげーな」

俺は学食内を見渡した。屋上から見えた三角屋根の巨大な建物が丸々学食だったのだ。

「ライブ会場にでもなりそうだな」

「大変夢のあるお話で」

「いつかできたらいいじゃん。やろうぜ」

「あなた、何か楽器できるの？」

「いや。ギターとベースの違いさえわからない。でも、練習する時間だって無限にあるわけだろ？」

「だから、目的を見失うなってのっ」

「ああ、わり」

静かにゆりっぺが食べ終わるのを待つことにした。

■■■■■■■

学食を出ると、外はもう真っ暗だった。

「この後はどうするんだ？」

「今日はもう何もないわよ。お好きにどうぞ」

「寝る場所は？」

「寮があるわ」

ゆりっぺが顎で上を指した。

長い階段の先、今朝屋上から確認した団地のような棟がそこにはそびえ立っていた。これが寮だったのか……。無数の光が点っていて、眺めているうちにさらにそれは増えていった。

きっと行けば、俺の部屋も用意されているのだろう。

ゆりっぺについて、階段を上っていく。

「ルームメイトとかいるのかね」

「いるんじゃない？　あたしは追い出して、ひとりで住んでるけど」

「しそうだよな、おまえはそういうこと」

「だって恐いじゃない。人間じゃない奴と同じ部屋で寝るなんて」

「向こうからすれば、おまえのほうが脅威だよ」

「男子寮はそっちよ」

ゆりっぺが立ち止まり、右側を指さした。

「ああ。じゃあな、また明日。何があるかは知らねーけど」

「それは明日言うわ。おやすみなさい」

しばらく、小さくなっていくゆりっぺの背中を見送った。

ひとりきりになると、深くため息をついた。

なんとも疲れた一日だった。

二度も屋上から落ちたんだからな……。厄日だ……。

そしてこれから、人間じゃないルームメイトに会わなきゃならない。

そいつとこれから過ごしていかなければならない……。

それも気が重い……。

口は悪いが、ゆりっぺといると安心できるのだ。この世界で彼女は、俺が知る唯一の人間なのだから。

すでに人の温もりが恋しい……。

玄関で靴を脱ぎ、寮の中へ。左右にびっしりとドアが並んでいた。

ドアの横に貼られた名札を確かめながら廊下を歩く。

ようやく二階に俺の名前が書かれているプレートを見つけた。

ここか……。

足を止める。

ルームメイトの名前は……大山。

うし、入るか。

意を決し、ノックをしてドアを開ける。

「ちーっす、今日から同室になる日向っす」

愛想良く挨拶する。

「やあ、初めまして。僕は大山。よろしく」

小振りで質素な部屋。据えられた二段の下のベッドに男子生徒が腰を下ろした。

見かけはごく普通の男子。とりわけ大柄でも小柄でもなく、やせ細っても太ってもなく、男前でも不細工でもない。第

一印象はなんの特徴もないのが特徴、といったところだ。

やあ、初めまして、僕は大山、よろしく、という挨拶にもなんの個性もない。

まるでＲＰＧで最初に訪れた村の村人のようだ。

やあ、ここは○○村だよ。ゆっくりしていきな、的な。

テンプレートすぎて不気味だ。

会話が成立しようが、ここにいる生徒はこんな奴らばかりなのだと思うと、ゆりっぺがいてくれて本当に良かったと思う。

俺は中に入り、ドアを閉めた。

「机はそっちね。ベッドは上を使ってよ」

「ああ、サンキュ」

とりあえず勉強机の椅子に腰掛けてみる。

それをぐるりと反転させ、大山というルームメイトと向かい合う。

気は進まないが、話してみよう。

「大山くんは、ここ長いの？」

「見ての通り君と同じ三年生だよ」

「そうか……そうだよな……」

俺は三年生だったのか……。

他にもいろいろ訊きまくってみるか。

「大山くんの趣味は？」

「読書と音楽鑑賞かな」

ここまで個性のない回答をするものなのか……。

「音楽ってどんなの聴くの」

「Ｊ－ＰＯＰ」

当たり障りがなさすぎる‼

「日向くんの趣味は？」

逆に質問を返される。

「俺？　俺はスポーツかな……」

「観るの？　するの？」

「どっちも好きだよ」

「そうかー、僕は観るのは好きだけど、するのはどっちかっていうと苦手かな、ははは」

なんだその、とってつけたみたいな笑みは。気持ち悪すぎる。

ああ、人間味のあるゆりっぺの毒舌が恋しいぜ……。誰か俺を罵ってくれ……。

「ああ、呼び捨てでいいよ。大山って」

「山ぴーって呼んでいい？」

「なんで？」

「いや、ちょっとでも個性をつけてやろうかと」

「ははは、よく言われるんだよね、個性がないって。先生にもよく怒られるよ」

「まあ、冗談だけどさ。俺も日向でいいぜ」

「わかったよ、日向くん」

この村人は不具合までお持ちのようだ。

「で、日向くんはこれからどうする？」

「どういう選択肢があるんだ？」

「宿題をしてからお風呂に入って寝るか、お風呂に入ってから宿題をして寝るか」

「どっちでもいい……」

「じゃ、先にお風呂行こうよ。今ならまだ空いてるよ」

「待て、おまえと行くのか？」

「え？ ダメなの？」

「いやダメってことはねーが……」

なんとも友好的な村人だ。

どうせこれから毎日顔を付き合わせていくんだ。避けながら過ごしていくというのも非常に面倒くさい。ここは流されておこう……。

「わかった。行くよ」

うん、と大山は嬉しそうに頷《うなづ》いた後、立ち上がり、支度を始めた。

「はい、新しいタオル」

「ああ……サンキュ」


翌朝の屋上。

ゆりっぺの姿を見つけるやいなや、俺は駆け出していた。

「ゆりっぺ―――！」

同じ人間という存在が、涙がでるほど恋しかった。

その温もりを抱きしめて確かめたかった。

が、ひらりとかわされる。

ぐわっしゃ―――ん!!

顔面から金網に激突する。

「やばい……第三の欲求が爆発している……身の危険を感じるわ……ごめんなさい、あたしたち解散ね。さようなら」

去っていこうとする。

「ちっが―――うっ!!」

「何がよ、変態、寄ってこないでよっ」

「恋しかっただけだよっ」

「ほら、恐いっ、その気ありまくりじゃないっ」

「女としてじゃない！ 人としてだ！ ルームメイトの奴があまりに人間味がなさすぎて不気味で人恋しくなってたんだよ！」

「そう。そりゃ災難だったわね。あたしみたいに追い出したら？」

「そんなイレギュラーな事態、インプットされてなさそうだぜ。どうなるか逆に恐い……」

「どう考えても今のあなたのほうが恐かったわよ」

「いや、まあ、それは謝る。ごめん。落ち着いたよ……」

「こうして日中は会えるんだから。もう飛びかかってきたりしないでよ？ またここから蹴り落とすわよ？」

「ああ……」

それすらも今ならありがたく思えそうだ。

「で、今日はこれからどうするんだ？」

「そりゃ、引き続き神のあぶり出しよ」

「どうやって」

「あなたまさか……一晩も時間があって何も考えてこなかったの？」

「考えてこいなんて言われなかったし……」

「あああー！ なんてバカなのよ、もう！ なんなのあなたは!? 何をする仲間になったの!?」

「は、はは……そうだな、まったくだ……ははは」

罵倒されてちょっと気持ちよくなっている自分が恐い。飛んでくる唾さえ愛おしい。

「何か考えなさいよ、今、ここで！ 今すぐ！ ほら、なんか言え!!」

「んな急には……」

勢いに気圧され、後ずさる俺。

そこへ、ピンポンパンポーンと校内放送のジングルが飛び込んでくる。

続いたのは緊迫した声。

『全校生徒に告げます。すみやかに教室に戻り担任が来るまで待機するように。繰り返します……』

「……!?」

ゆりっぺがすぐ反応して辺りを見回した。

「なんだ？」

「イレギュラーな事態よ。こんな放送聞いたことがない」

「暴走族でも乱入してきたか」

そういうのは、俺が生きていた時にもあった。

「かもね。なんにしても好機よ」

「なんの」

「あなたほんとにバカね。この世界であってはいけない緊

急事態が発生してるのよ？　乗じない手はないわ。そして……」

「神をあぶり出す、か」

「行くわよ、どこで何が起きてるか把握しなくちゃ」

廊下を走る。とりあえず、職員室に向かってだ。

その時。


ぱーん！


場違いな物の音が空気を震わせた。

「ちょっと待てよ……」

ドラマや映画なんかで何度となく聞いたことがある音だ。

「今のって銃声じゃねーか？　すげぇ物騒なことになってんじゃねぇのか……」

「そんなバカな……」

ゆりっぺが動揺していた。それは初めて目にする姿だ。目をかっと見開いて、足を止めていた。

「この世界に存在しないものが存在している……」

「銃のことか？」

「誰かが持ち込んだのよ、この世界に。絶対に手中に納めなくてはならない……そいつを」

「そいつって…銃じゃなくて、持ち込んだ奴をか？」

「ええ。きっと心強い仲間になるわ」

ようやくいつもの顔。笑みまで見せる。

「校内で銃をぶっ放すような狂った奴だぜ⁉　正気かよっ⁉」

「そうでもなきゃ狂わないじゃない？　この世界の歯車は」

ゆりっぺは身を翻《ひるがえ》し、今度は、銃声のしたほうへ走り出した。

# 第2話 Navy Blue

ゆりっぺは階段を一気に飛び降りた。負けずにその隣に着地すると、その肩越しに、群がる大人たち――この学校の教師だろう――が見えた。

「校長室ね」

その一群に駆け寄ると、強引に割って入っていくゆりっぺ。

「こら、放送を聞いてなかったのかっ、生徒は教室に戻るんだっ」

ひとりの教師に腕を掴《つか》まれる。

「あれ？　そんな放送ありましたっ……け!!」

どすっ！　ゆりっぺの肘鉄《ひじてつ》が鳩尾《みぞおち》に入り、教師は崩れ落ちる。

やりたい放題だな……。

押さえ込もうとしてきた教師を体当たりで突き飛ばしておく。

相手が人間でないとはいえ、床にもんどりうつその姿は痛々しい。

そうしてふたりで道を切り開き、ドアの前までたどり着く。

「突入するわよ」

さらりと我らがリーダーは言ってのける。

「考えがなさすぎやしねぇか!?」

なんの躊躇《ちゅうちょ》もなく、ドアを開け、中に飛び込んでいた。

後ろからは制止の声。肩を掴まれる。こうなったら行くしかない。ゆりっぺをひとりにはできない。それを振り払って、後に続いた。

校長室にはひとりの男子生徒が、校長先生とおぼしきスーツ姿の爺さんの首を抱え込んで立っていた。

その手には銃。

校長を人質にとり、立てこもっているようだ。

そして今や銃口はゆりっぺに向けられていた。

「入ってきたら撃つと言ったろ。馬鹿か……？」

「あっら～」

「見ろ、言わんこっちゃねぇ……」

ものの見事に火の中に飛び込んでしまったようだ。

だが、この世界では虫は火などでは燃え尽きないのだ。

ゆりっぺは怯むことなく、口を開く。

「あなたが言いたいことはわかるわ。そう、あなたが考えてる通りよ。言わなくてもわかるわ。結託しましょう」

「そのセリフはテンプレートなんだな……」

「結託？　笑わせるな。こんな世界で自分以外を信じろとでも？」

鼻で笑った後、そう返してくる。

「信じなさい。あたしはあなたの力強い味方になるわ」

「ふ……戯言だな。なら、裸になってみせろ」

「ぶっ！　なっ!?」

そのセリフに俺が思わず吹く。

「ねぇ、あたしを落胆させないでくれる？　何、その三流ドラマのザコが吐くようなセリフ。あなたはこの世界で画期的なことをしようとしてる。それは素晴らしいことよ。自信を持っていいわ。それをそんなセリフで自ら貶めないで」

さすが、ゆりっぺだ。この言葉を聞いて引き下がらない奴はいねぇ！

「おまえの言ってることは何ひとつ理解できない。信用してほしいなら、裸になれ。以上だ」

相手は強者だ!!

だが、俺の知るゆりっぺなら、相手の自尊心をずたずたに傷つけていくセリフを吐き続け、圧倒していくのだ。

「代わりにこいつが脱ぐわ」

「って、俺かよ、おい!!」

つっこまざるをえない俺。

「何か？」

実に不思議そうな顔がこちらに向く。

「たくさんあるよ！　この状況で俺が脱いでどーすんだよっ！」

「あなた、何するために仲間になったのよ」

「少なくとも脱ぐためじゃねーよ！」

「あなたねぇ……そんなことまであたしに押しつけて、なんなの？　男としてのプライドとかないわけ？」

「押しつけてるわけじゃねーよ！　ふたりとも脱がなきゃいい話だろっ！」

「でも脱がないと、信用してくれないって」

「言われてんのはおまえだろ！」

「脱ぎたくないし」

「そこをどーにか考えるのがおまえの仕事だろっ！」

「またあたし～？　ほんと、あなた、一体なんなの？　いつか役に立つ日が来るの？　今ここで解雇していい？」

ぱんっ！

……銃声。

すぐ隣の壁にできたてほやほやの穴が空いていた。

背筋が凍る。

「やべぇ……こんなゆるトークしてる場合じゃなかった……」

「何よ、ゆるトークって。バカにしてるの？　あなたの責任追及をしていたわけですけど？」

「いや、するべき時じゃない……」

「出ていかなければ、次は当てるぞ」

男のドスの利いた声。

屋上から突き落とされても死ななかったように、どこを撃たれても死にはしないのだろうけど、めちゃくちゃ痛いんだろうな……。考えただけで血の気が引く。

「あっら～、話が逸れちゃってたわね」

ようやくゆりっぺは本来の目的を思い出したらしい。

男に向き直る。

「で、なんだっけ？　あたしが脱げばいいんだっけ？　ふたりきりにしてくれない？　こいつに見られるのだけはなんかむかつくわ」

「もう何をやっても無駄だ。出ていけ」

どうやら怒らせてしまったようだ。銃を前にあんなゆるトークを繰り広げられたら、無理もないが……。

「あーそ。ここまで言いたい放題言わせてきてやったけど、交渉決裂ね。いいわ、やっちゃいなさい、日向くんっ」

「えっ、俺⁉　この状況で何ができるってんだよっ！」

いきなり振られて、わけがわからない。

「あなた、ほんと、なんのためにいるのよ⁉　死にゃあしないわよっ、体当たりでもなんでもしてみなさいよっ！」

「だが、すげー痛そうだぜ⁉」

「予防接種程度よ」

「あんなのチクッじゃねぇかよ！　こっちはパーン！　って頭とか吹っ飛ぶぜ⁉　いだだだだだ――！ってなるぜ⁉」

「頭吹っ飛ばされて、いだだだだだ――！　なんてならないわよ。一瞬で意識が飛ぶわ。即死レベルなら痛みは感じない、さあ安心して行きなさい！　あなたの一番の見せ場よ！」

「そんな脳みそまで吹っ飛ばされて、見せ場もあるかよっ！　むしろモザイクが入って何がなんだか……」

ここからは、正直、何が起きたかよくわからない。

そう。まず、ドアがばんと開いたんだ。

続けて、銃声が何度も轟《とどろ》いた。情けないことに俺は、目を瞑《つむ》ってしまった。

キンキン！　とそれが跳ねる音がした。

でも、銃声は鳴りやまない。

ずぶぅ、と嫌な音がした。

一瞬の静寂。

恐々目を開けると、男の体が床に叩きつけられていた。

その上には生徒会長がいた。

でかい刃物のようなものが、男の胸に突き刺さっていた。

場違いにも、その絵は採集された昆虫の標本を想起させた。

ぱん！　ぱん！　ぱん！

生徒会長の体に容赦なく銃弾が何発も撃ち込まれていく。

ごふっとその小さな口から血が漏れ出た。

だが、刃物は刺したままで……。

男が力尽きるまで、その姿勢でいたのだ。

銃声がやむと、一気に突入してくる教師たち。

俺とゆりっぺは、呆然と、校長が助け出されるのと、男が連れ出されていくのを見ていた。

何も……できなかった。


夕飯はカレーだけにしておいた。

すくっては口へと運ぶ。

味はわからない。味覚が飛んでいた。形のいい肉もごろごろと入っている。普通に食ったら、普通に美味いんだろうな……。ぼーっとそんなことを考えていた。

ゆりっぺは、昨日と同じうどん。けど、手つかずのままだった。

カレーを食べ終えると、仕方なしに俺から口を開いた。

「大変な一日だったな……。まあ、俺にとっては屋上から二度も突き落とされた昨日よりはマシだったけどな」

これでまた憎まれ口でも聞けると思ったのだ。

でも、ゆりっぺは喋る代わりに、うどんをすすり始めた。

……調子が狂うなあ。

あの男を仲間にできなかったのが、よほどショックだったのだろうか。

お互い空になった皿と丼を見つめ合っていた。

「機嫌直せよ。あの男だってあれで死ぬわけじゃない。仲間にするチャンスはこれからもあるだろ」

「……何、当たり前のこと言ってんのよ」

ようやく声が聞けた。

「あなた、まさか、あたしがあの男のことをずっと考えてるとか思ってたの?」

「え? そうだろ? 仲間にできなかったんだから」

「バカ丸出しね……」

嘆息が漏れた。

「なんだよ?」

「あなた、見なかったの? 生徒会長の行動を」

その目が俺に向いた。

「見たよ」

「それでなんとも思わないの?」

「まあ……ちょっとはびびったよ。あんなことする子だったとはな」

「あのね……」

「何?」

「今、間に何もなかったら、あなたを殴るか蹴るかしてたわ」

いつもの調子に戻ってきたようだ。

「じゃ、好きなだけ殴れよ」

腰を上げ、頭を差し出す。

すると、箸《はし》を持った両手が下からえぐってきた!

寸前で、かわす。

「何しようとしてくれてんだよっ!」

「両目に突き刺そうと思って」

「失明するよ!!」

「ほっとけば勝手に治るわよ」

「それまで見えなくて、どうやって手伝えってんだよっ」

「あなた、目が見えてても、文句言うだけだから、何も変わらないじゃない」

「俺が生活に困るよ! いきなり失明して戻ってきたら、ルームメイトもびびるだろ!」

「そのリアクションは楽しみね」

「ったく!」

俺は乱暴に座り直す。でも、いつも通りの毒舌が聞けて一安心した。

「……で、生徒会長の行動がどうしたって?」

「どうしたも何も、イレギュラーすぎるじゃない」

「それは男の行動にしてもそうだったわけじゃね?」

「わけじゃね? じゃねーわよっ!」

ご丁寧に真似までして否定してくれる。

「それ以上よ。あの凶器は何? あなた、生きていた時にあんなの見たことがあるっていうの?」

「あのでかい刃物か。どこから持ち出してきたんだろうな」

「持ち出してきた? そんなことありゃしないわ」

「なして」

「あなた、観察力すらないのね。目を潰しても、本当何も変わらないんじゃない? もう一回刺してみていい?」

「やめてくれ……で、なんだよ、あの刃物を生徒会長はどうしたってんだよ」

「……刃物を彼女は握ってすらいなかった」

「どうなってたんだよ」

「腕から生えてたのよ」

「んなまさか!?」

「んなまさかよ」

生えていた……?

なんだ、それは。どうやったらそんなものが生やせるんだ?

「いいぽかーん顔ね。これで銃を持った男より、生徒会長のほうが断然イレギュラーなのがわかっていただけたかしら?」

「それが本当なら確かにな……」

ゆりっぺは別に男を仲間にできなくて落ち込んでいたわけじゃなく、ひすたら生徒会長のその異質さについて考えていたのか……。

「じゃ、生徒会長を仲間に?」

-Track ZERO-

「そりゃ無理よ。だって彼女こそが、神であるかもしれないもの」

「そんな可能性があるのか……」

「いい？　ここが死後の世界とはいえ、〝死なない〟ということを除けば、あたしたちは生きていた頃と何ひとつ変わっていないわ。百メートルを五秒では走り抜けられないし、屋上から飛ぼうとしても、重力には逆らえず落ちるだけ。それはあなただって身をもって体感してるはず」

「いや、あれはおまえに蹴り落とされただけだからな……」

「でも、生徒会長のそれは違う。腕から刃が生えるなんて、完全に超常現象じゃない。そんな力、この世界の誰も持っていない」

「彼女だけが特別な存在、ということか……」

「もしそうだとすれば、あの男の行動により、まさにあぶり出しに成功した、ということよ」

「そうなるな……。すると、おまえは、生徒会長を……」

「ええ、本当に彼女が神ならぼこぼこにしてやるわ。でもまだ確証がない」

「そうだな……。確かめる方法はあるのか？」

「そうね。一日あげるわ。よろしくね」

「え？　俺が考えるの⁉」

「何度も言わせないでね、日向くん。あなた、一体他に何をしてくれるというの？」

「えっ、ずっとそばにいるじゃん」

「何？　あなた、やっぱりあたしに気があるの⁉」

「いや、ねーから」

「うわ、もはや平然と言うのね……」

「俺はおまえのここでの暮らしが寂しいだけのものにならないようにいるんだよ。心配だからな」

「そんなの余計なお節介よ。あたしはひとりでも大丈夫だってば」

「いいよ。勝手にいさせてくれ」

「そうはいきません。一緒にいるなら、必要性を感じさせてください。邪魔なだけじゃない」

まあ、それはそうか……。

俺は腕組みし、うーむ、としばらく考える。

「じゃ、わかったよ。その神の証明方法とやらを、一晩使って一生懸命考えてくるとするよ」

仕方なく、そう答えていた。

「そうそう。素直な子は好きよ」

では解散、とゆりっぺはお盆を持って立ち上がった。


ベッドで寝転がって考えていると。

「どうしたの？　悩み事？」

「うおっ！」

突然横から声が聞こえてきて、俺は飛び上がる。

大山が階段をのぼり、顔を覗《のぞ》かせていた。

「俺、なんか言ってた？」

「うんうんうなり続けてるから、心配になって」

気づかなかった。まあ、それぐらい夢中になって考え事、つまりは神の暴き方を考えていたわけだ。

「僕でよければ相談に乗るよ」

永遠に悩み事など持ちそうにない、脳天気な顔が言った。

「俺が突然両目に箸を突き刺して帰ってきたらどうする？」

「ええっ、そりゃ驚くよ!!」

「だろうな」

「なんなの!?　誰かに突き刺されそうなの!?」

「別に。単なるたちの悪いいたずらだ」

「いたずらレベルじゃないよね!?　両目に箸を突き刺してくるなんて、その人やばいよ!?　日向くんの友達って危険すぎない!?」

「いつかおまえにも紹介してやるよ」

「いやいやいや!!　でも、そんな友達がいるのかー。そりゃ悩むよねぇ。早く縁を切ったほうがいいよ」

「いや、そいつとはずっと一緒にいることにしたんだ」

「なんてサバイバル!!　気が抜けない毎日だね……。でも、この部屋では安心してね。僕は決して目に箸を突き刺したりしないから」

「だろーな。おまえはいい奴だな」

「いやいやいや!!　ふつーだよ、普通」

普通すぎるんだよ、おまえたちは。

からかっているぶんには面白いが（そういう暇つぶしを俺は覚えた）。

消灯してからも、俺は悩み続けた。

唸《うな》り続けた。

また大山の奴が突然顔を出してきたので、殴って追い返してやった。

ひたすら考え続けた。

そして、明け方になり疲れきった頃、呆れるほど簡単な案を思いついてしまったのだ。


「では聞かせていただきましょうか」

翌朝の屋上。風に吹かれながら、ゆりっぺは俺の前に仁王立ちする。

「ああ、これは確実だぜ……すげぇ名案だ」

「もったいぶらず早く言いなさいよ」

おお、ゆりっぺが焦れている！　いつもとは逆の立場じゃないか！

「はっはっ、眠らずに考えたんだからなあ……そう簡単に」

どすっ！

「……ええとですねぇ、校長を人質にとり、校長室に立てこもる」

前屈みになり息を詰まらせながら答える。暴力反対。

「へぇ。つまり、昨日の事件を再現する、ということ？」

「ああ。あの男はひとりだった。だから、刺されて終わっちまった。でも俺たちはふたりいる。協力体制がとれる。そして、その超常現象を発動してる決定的瞬間を押さえて詰問すれば、前のように知らぬ存ぜぬでは通せないはずだぜ」

「あなた、初めて仲間らしいわ」

ゆりっぺもご満悦だ。

「そりゃ光栄で」

「武器はどうするの？」

「あの銃を探す」

「弾は撃ち尽くしたみたいだったけど？」

「脅しには使えるだろ」

「なんなの、あなた!?　頭が回りすぎて逆に不気味よっ、恐いぐらいだわっ、ねぇ、解散していい？」

「素直に喜んでくれよ……」


銃は、職員室に据え置かれた金庫の中に保管されていた。

俺とゆりっぺは真夜中の職員室に忍び込み、二日かけて鍵を探し出し、首尾よくそれを手に入れた。

決行は明日。

俺はベッドに横になって、手に入れた銃を眺めていた。

本物の銃。もちろん触るのは初めてだ。こんなに重いものだったのか……。

「うわあぁぁ、日向くん、それは!?」

大山の馬鹿に見つかってしまった。

「おまえな……上がってくるなら声をかけろって言っただろ」

「なんでそんなものを持ってるの!?」

銃に動揺しすぎて、俺の声は届いていないらしい。

「これか……目を箸で突き刺されたら、これで撃ち返してやろうかと」

「シャレになってないよ!!」

「大丈夫。それぐらいキツめのジョークとして通じるんだ」

「なんて寛容な友達なんだ!! というか、目を箸で突き刺したり銃で撃ち返したり、ふたりの友情って歪みすぎていない!?」

「仲間に入れてやろうか?」

「いやいやいや！ とんでもない！ 悪いけど外で声をかけられても、無視させてもらうよ！」

愉快なことになってきた。

一体何がこれから起きるのか。始まるのか。

ちょっとした興奮状態になり、その晩はなかなか寝付けなかった。


作戦決行の時が訪れる。

ゆりっぺは銃を、俺は金属バットをそれぞれ手に、校長室の前に立っている。

授業中だ。廊下に人影はない。

「びびってなんかない？」

「今更だな」

「何よ、いっぱしの男子みたいになっちゃって」

「そんなびびりに見えてたのかよ、俺は」

ふふ、とゆりっぺが悪巧みの笑みを浮かべる。

「じゃ、いくわよ？」

「オーケー」

ばん！ 校長室のドアを開け放つ。

「突入！」

ゆりっぺの後に続き、室内に飛び込む。

ゆりっぺは素早く中にいた校長の背後に回り、首を抱き込むと、そのこめかみに銃を突きつけていた。

「ひぃっ!! またかっ！」

「そう、またなのよ、ごめんなさい。すぐ内線でこの状況を他の職員に知らせてくれるかしら？」

「今度の要求はなんだと言えばいいっ？」

「神を出せ、よ」

「神、だと!? わけがわからん！」

「いいから、じぃさん、頼むよ」

俺もバットを振り回しながら脅す。

「……わかった」

渋々応じる校長。

しばらく経って、廊下から喧噪が聞こえてくる。

「とっとと神様を出さねーと、校長の命はないぜ!?」

俺はドアに張り付いて、そう叫んだ。

外からは、わけがわからない、狂ってる、という声が飛び交う。

そんなこたぁわかってる。

でも、俺から言わせると狂ってるのはこの世界のほうだぜ。

「きみたちの本当の目的はなんなのかね……」

校長が苦しげに呟いていた。

「神のあぶり出しよ」

「正気かね？ わけがわからない……どうして、いつもこんな目に……」

「いつも？ 二回目じゃなくて？」

ゆりっぺが目ざとく反応し、訊き返す。

「ああ……」

「何度目？」

「覚えておらん……」

「俺たちと、二日前の男以外にも同じことを繰り返してきた連中がいるってことかよ……」

「そうね……ま、妥当だわ……っと、現れたわね……」

振り返ると、生徒会長が降って現れたかのように、すぐ背後にいた。

寒気が走り、本能的にバットを構える。

カィン！

それがはね除けられていた。

入れ替わり、鈍く光る刃の先端が、俺に向けられていた。

それは、生徒会長の腕と袖の間から生えていた。

なんだ、それは……。

「生徒会長、やめなさい。あたし、校長を人質にとってるんだけど、見えないの？ 仲間に手を出したら殺すわ」

「なら、あなたからね」

生徒会長は手を下ろすと、俺の目の前を通り過ぎ、ゆりっぺに向けて歩いていく。

「止まりなさい。校長を撃つわよ？」

「……」

止まらない。

「その力は何？ あなたは、他の一般生徒とは違う。何者なの？」

ゆりっぺが質問攻めにするも、無言のまま、一歩ずつ着実に間を詰めていく。

「撃つって言ってんのよ!?」

ゆりっぺにも焦りの表情。その銃に弾は入っていない。

俺は迷った。

この手のバットで生徒会長を殴りつけるべきか。

力ずくで足止めにかかるか。

けど……相手はひとりの女の子だぞ……。

-Track ZERO-

-Track ZERO-

でもそうしないと、ゆりっぺがやられる……。

俺たちはあの男のようにならないために、協力し合わなければならない。それが俺が自ら立案した作戦なんだ。

……そもそもこの世界では誰も死なない。

「止まれって言ってんだろぉ――――!!」

全力で駆け、バットを振り下ろした。

なのに、手応えはまったくなかった。

「空振った⁉」

目の前で振り下ろしたのに。今も、目の前に彼女は立っているというのに。

ガキッと何かが床に落ちる音がした。

「……え？」

奇妙なものが足下に転がっていた。

バットだ。

俺は恐る恐る手元を確認する。綺麗な切断面の見えるグリップだけを握りしめていた。

「その力はなんなの⁉　答えなさい!!」

ゆりっぺの緊迫した声。

生徒会長はその目前にまで迫っていた。

「くそっ」

俺はグリップを投げ捨て、その体に背後から抱きついた。

そうして羽交《はが》い締めにしようとした。

直後、俺は壁に背中から叩きつけられていた。

それは、信じられないことに、彼女の、たった一歩のバックステップで行われたのだ。

全身に激痛が走り、力が抜け、俺は崩れ落ちる。

「日向くん！」

でも、まだ手は届く距離。

俺は彼女の細い足首を掴む。

「必死ね」

生徒会長の声。

「必死さ」

「できれば傷つけたくないの」

こんな時に会話が成立している。

「あっさりぶっ刺してたじゃねーか」

「人に人を殺めてほしくないの」

「おまえだって人じゃねーか」

ここぞとばかりに俺はつっこむ。

「この世界に理不尽を感じた人はみんな校長先生を狙うわ。この学校の最高職位だから。でも、それは勘違い。その人は関係ない。でも、過ちは繰り返される。だから、あたしが正す」

彼女が足を振った。

ただそれだけのこと。

それだけのことで、その足を掴んでいた俺は、床に投げ出され、不格好に転がっていた。

「わかったわ、オーケー。ほら、無関係の校長先生は解放するわ」

ゆりっぺが校長に突きつけていた銃を下げ、その体を放した。

俺はその様子を力なく、見上げていた。

「誤解は解けたの。これでいいでしょ？」

「銃も渡しなさい。それが元凶ね」

「ああ、そうね。もうこんなもの必要ないもんね。渡すわ。代わりに、あなたのその物騒な刃物も仕舞ってくれないかしら？」

生徒会長は無言のまま頷き、そして、身じろぎひとつせず、その腕から刃物を消してみせた。

光を明滅させながら。

それはまさに常を超えた光景だった。

ゆりっぺが安心した表情で、その前まで歩いていく。

生徒会長が銃を受け取ろうと手を差し出す。

その手とクロスさせるように、ゆりっぺは銃口を突きつけていた。彼女の眉間に。

「その力をどうやって手に入れた？　三秒以内に答えないと撃つ。三、二……」

「……ハンドソニック」

その腕に光が集まり、再び刃物が現れるのを俺は見た。

ゆりっぺ！

俺は反射的に床を蹴っていた。

ずぶしゅぅ！

刃先は間に飛び込んでいった俺のわき腹を貫いていた。

## -Track ZERO-

「日向くん!?」

「へへ……言ったろ……窮地の時は俺が身代わりになってでも……おまえを守るってさ……」

意識が薄れていく……。

最後に聞いた言葉は……。

「あたし、不死身なんだけど」

そっか……その設定、また忘れてたぜ……。


白い天井。

ここで目覚めるのは何度目か。

生きていた時は健康だけが取り柄でこんな場所とは無縁だったってのに……なんて様だ。

脇の傷はもう塞がっている。この世界では死なないだけでなく、傷の治りも早いらしい。臓器のどこかがまだきしむように痛むが。

隣にはいつものようにゆりっぺが椅子に腰掛け、俺を見下ろしていた。

「おつかれさま、日向くん」

「無事だったか、ゆりっぺ……」

「あたしはね」

「俺のほうも別に大したことねーさ」

「誰があなたの心配をしてるのよ。銃よ、銃」

「銃？　銃がどうかしたのか？」

「破壊されたわ。あの子に」

「あんなものが破壊できるのか」

「ハンドソニックとやらで一突きよ」

ハンドソニック……。

生徒会長が最後に言った言葉だ。同時にあの刃物が現れた。

「それがあの刃物の名前ってわけか」

「アニメの武器みたいな名前よね。意外にオタクなのかしら？」

「で、破壊されて、それからどうなったんだ？」

「別に何も。あの子とあたしであなたをここまで運んできただけ」

「そっか……」

「もう起きられる？」

「まあ。ちょっとは痛むけど」

「お腹が空いたわ。学食行きましょ」

ひらりと立ち上がった。俺の大怪我なんてなかったように、保健室から出ていく。

実際、すべてはなかったことになるのだが。

券売機の前に立つ。

時間のせいか、生徒はまばらにしかいなかった。それでも三十人以上は居る。この広さだから、閑散として映るのだ。学食は中央が吹き抜けになった二階建ての構造で、天窓越しには星も見える。その夜空は今夜は月が明るいせいか、ネイビーブルーに映る。

早くしなさいよ、とゆりっぺが急かすから、俺はカレーの食券を買う。

「あなた、カレー好きねぇ」

「おまえもうどんばっかじゃねぇかよ」

「あたしは毎日種類を変えてるわよ。今日は肉うどん」

「あ、そ。じゃ、俺は納豆も頼んで、納豆カレーにするよ」

納豆のボタンを押す。

「え？　マジで？　あなたそんなゲテモノ、あたしの前で食べようっての？　おぇぇ……想像するだけで気持ち悪くなってきた……ねぇ、解散していい？　さようなら」

出ていこうとする。

「分けて食うよ！」

「で、今回の作戦で何がわかったことになるんだ？」

それぞれ、盆をテーブルに置き、向かい合ったところで訊く。

「あなたが立てた作戦なのに、あたしに総括させようっての？」

「俺が総括すると、生徒会長は化け物だった。以上」

「ほんとバカね。ねぇ、納豆はここで開けないで持って帰ってくれる？」

納豆はパックのまま出てきて、まだ開封していない。

「なんだ、苦手なのかよ」

「だって、体育会系の男子が一週間ぐらい履き続けた靴下の匂いがするんだもの」

「……それ今から食う奴に言うことか？」

「あなたが訊くからじゃない」

「そいつは失敬。で、話を戻して、生徒会長が化け物じゃなかったらなんだったんだ？」

「神に準ずるもの。そうとしか言えないわ」

「悪いが、準ずるの意味がわからない」

「かーっ、こんなところにアホがいる……あなた、誰？」

「おまえの仲間だ。で、それは神なのか？　神じゃないのか？」

「神に準ずる、つまりそれと同等か、それに次ぐもの、という意味ですが、あたしに何かご用？」

「おまえの仲間だ。じゃあ、あの力はなんだ？　ハンドソニックってのは」

「あたしの推測では、神に与えられた特別な力よ。校長が人質にとられるといったこの世界におけるイレギュラーな事態に対処するためのね。いわばこの世界の秩序を守る存在なのよ、あの子は。ご理解できて？　通りすがりの方」

「おまえの仲間だ。よく理解できたぜ。つまり、あの子は天使ってことだな」

「天使？」

「神に仕えし者ってことだろ？　それって天使じゃん」

「なるほど……天使か。言いえて妙ね。その発想面白いわ。使わしてもらうわね、どこかのみょうちくりんさん」

「おまえの仲間だ。で、これからどうする？」

「天使がこの世界の秩序を守っている。なら、それをぶっ壊すまでよ」

「そうなるか」

「そうなるわ」

「どうやって？」

「あなたは誰？」

「おまえの仲間だ」

そう答えると、ゆりっぺはそこでぱたりと話をやめ、うどんをすすり始めた。

つまり、それを考えるのが次の俺の仕事ってわけだ。


「今日は随分《ずいぶん》と遅かったね。何かあったの？」

部屋に戻るなり、大山が心配げに寄ってくる。まったく可愛い村人だ。

「わき腹をぶっ刺された」

「ええ——っ‼　やっぱりその友達とは縁を切ったほうがいいよ‼」

「いや、また友達とは別の奴に」

「なんてサバイバル‼　日向くんの周りは物騒すぎるよ‼」

「刺激的でなかなか楽しいぜ？」

「いやいやいやいや！　劇薬並だから！」

「これは生還したみやげだ。賞味期限が切れないうちに食ってくれ」

言って、持っていた納豆のパックを手渡す。

「わーっ！　納豆大好きなんだ！　ありがとう！」

「お、イベントクリアだな。何かアイテムくれよ」

「え？　アイテム？　何それ？」

「村人の好物を手に入れてきた。こういう時は今詰まってるイベントクリアに必要なアイテムを代わりにくれるんだ」

「なんの話？」

「死んだ世界を舞台にしたゲームの話」

「あれ？　この世界ってゲームなの？」

「どうやったら出られるんだろうね、この世界から」

……その言葉に俺は固まる。

「ちょっと待て……」

「ん？　あ、先にお風呂行こうよ。待ってたんだよ」

「いやいやいやいや、それよりも話が先だ……」

俺は入浴の支度を始める目の前の男を必死で止めた。

「どうしたのさ、顔色変えて」

「大山、おまえは……この世界のことを知っているのか？」

「いや、それがぜんぜんわかんないんだよね。死後の世界だとは思うんだけど」

「んなあぁ⁉　おまえ、村人じゃなかったのかよっ⁉」

「村人？　またゲームの話？」

「おまえも……人だったのかよ……？」

「それは見ての通り人だよ。ただ死んでると思うけどね」

嘘だろ……おい……。

ゆりっぺ……新たな仲間がこんな近くにいた……。

# 第3話 メルトダウン

-Track ZERO-

「ちょっと、待ってよ！　今から会うのって日向くんの友達なんでしょ？」

翌朝、一時間目の授業が始まる頃、俺は大声をあげる大山の手を引いて、人気のない廊下を歩いていた。

「そーだが、何か？」

そう答える俺の言葉にはゆりっぺの口癖が混じっていた。

やばいな、洗脳されかけているのかも。

「なんてバイオレンス!!　むりむりむり！　遠慮させて！」

「おまえさ、この世界のことわかってんの？　俺たち不死身なの」

「かといって、箸で目を突き刺したり、銃で撃ち返すなんて、そんな人たちと関わりたくないよ！」

「おまえは人なんだろ？　だったら、もう巻き込まないわけにはいかないんだ。悪いな」

「助けて――!!」

力づくで引きずっていく。

「誰よ、そいつ」

ゆりっぺは大山を一瞥《いちべつ》した後、俺に訊いた。

「見つけた。仲間だ。俺のルームメイトが人だった」

「そうなの。確かにその怯え方は異常ね。間違いなく人間ね」

大山は地面に這《は》い蹲《つくば》って、生まれたての子鹿のようにガクガクと四肢《しし》を震わせている。

「なんてひどい怯え様、可哀想《かわいそう》に……死んだ時の記憶がフラッシュバックしてるのね、ここに来たばかりなのかしら……」
「実に話しにくいんだが……」
「何よ」
「おまえに怯えている」

一瞬の間。


「嘘でしょ？」

「いや、ほんと」

「えぇっ⁉　あたしに対してこんなあられもない姿になっちゃってんの⁉　漏らしそうな勢いで震えてるじゃない‼」

どうしたら、こうなるってのよ⁉」

「あるがままに伝えたらこうなった」

「はぁぁぁあ⁉」

「いや、まあ、ちょっと脚色は入ってるかな……」

どすっ！

正拳突きが俺の鳩尾《みぞおち》に入っていた。

「あんたのせいなんじゃない……」

ゆりっぺはもんどりうつ俺の脇を通り過ぎると、同じように地面にうずくまる大山の元まで歩いていった。

「あのバカに何を吹き込まれたのかは知らないけど、安心なさい。あたしはあなたの味方よ」

「うわあぁぁぁぁぁ――‼」

大山は両目を手で覆うと、地面を転がって逃げた。

キッ！　とゆりっぺの鬼の形相《ぎょうそう》がこちらに向く。

やべえ……ていうか、すでに俺もこうしてもんどりうってるわけじゃん？

ずかずかと近づいてくる。

死人にむち打ち？

俺の制服を掴《つか》んで、立ち上がらせると……

どかっ！

「うわあ！　ひなたく――――――ん‼」

最後に聞いたのは大山の悲鳴だった。

■■■■■■■

白い天井。

「ねぇ、あなたのルームメイトが逃げたわ」

「……ったりめ――――だろっ‼」

がばりと起きあがってつっこむ。

「なんでよ」

それを平然と訊くか。

「目の前でルームメイトが屋上から蹴落とされたんだぜ⁉」

「だから、死なないってば～」

また笑顔で風を扇ぐようにぱたぱたと手を振る。

「俺に言うなよ」

「わかってるわよ。だからあなたが彼の前に現れて、ほら、元気だ！　この世界では死なない！　むしろ凝りがほぐれて気持ちがいい！　さっぱりした‼　って言いなさいよ」

「そんなんじゃもう晴れねぇぐらい、トラウマになってると思うけどな……」

「何がよ」

「おまえの恐さ」

「はい？　あたしの恐さ？　何それ？　あたし、優しいわよ？　こうして、一緒に神への復讐を果たす仲間にしてあげようとしてるんじゃない」

う――む……こいつの中では何かが欠落している……。

そのいつかは美人に見えていた屈託のない笑顔を見ながら考える。

目の前の目的しか見えてなくて、その間にあるもっと繊細に扱うべき物事がごっそりと抜け落ちてる、というか……。

だが、そのことをどう説明すればいいのやら……。

ゲームならここいらで選択肢が出るんだろうな。

**・ゆりっぺを諭す**
**・ゆりっぺの好きにさせる**
**・ゆりっぺをそっと抱きしめる**

……。

最後のはない！　ぶるぶるぶる‼

すると、二択か……。

諭すか、好きにさせるか……。

でも大山がこのままでは可哀想だ。

こんな世界で今もひとりきりでいるんだろうし。

「何してんのよ、起きあがれるんなら、とっとと探してきなさいよ」

と我が暴君は急かすわけだが。

「あのな、ゆりっぺ」

「何よ」

ぎろりとこちらを威嚇的に振り返る。

異を唱える者はすべて処す、みたいに。

向かい合うと不利だ。蛇に睨まれた蛙状態になる。

「おまえさ……」

俺は目線を逸《そ》らして言う。

「そんなんじゃ誰もついてこねーぜ」

「何？ 今からあたしへの説教が始まるわけ？」


一瞬にして声色が変わった。

やばい……

完全に今の一言で怒らせたぞ……。

だがここで怯むわけにはいかない。

俺は再び、ゆりっぺの目を見た。

「神への復讐。その最終目的はわかる。けど手段を考えろ。ひとりでは無理だ。校長室に立てこもったあの男がそうだったように。なら必要なのは仲間だ」

「だから探してるんじゃない」

「けど、おまえはその……乱暴だ。オブラートに包んで上手く言えないけど、乱暴なんだ。乱暴すぎる」

「死んだ世界なんだしいいじゃない」

「だから、それじゃ誰もついてこないって！」

「だから、あたしはひとりでも大丈夫だって」

いや……今なら俺は確信できる。ひとりじゃ無理だ。こいつには俺が必要だ。俺が隣についていてやらないと何も果たせない。どこまでも突っ走っていって、誰の手も振り切っていってしまうんだ。

そうして孤独なまま……無念な思いに泣く日が来てしまうんだ。

それは100%を越えるぐらい確かな、悲しい未来図だった。

「ゆりっぺ、おまえは……おまえが思っているほど有能じゃない」

「バカにバカって言われた！」

「そう、そのぐらいだ。おまえはひとりじゃ何もなせない。

だから仲間が必要なんだ。でも、今のままじゃ無理だ。仲間は増えない。おまえは目的しか見ていない。もっと仲間を作るためには必要なこと、考えるべきことがあるんだ」

「……ねぇ」

「なんだよ」

「解散していい？」

なんの感情も入っていない声で言った。だから、それが本気なのだとわかった。

「いやだ」

「もうあなたとは仲間でいたくないって言ってるのよ。わかってくれない？」

「いやだ。俺はおまえと一緒にいることにしたんだ」

「ストーカー？」

「どう思ってくれたっていいよ」

「でも、あたしが嫌なのよ」

「ストーカーは嫌がられてもついていくからストーカーなんだぜ？」

「そんな変質者と一緒にいたくないって言ってんのよ……」

蔑《さげす》みの眼差しが向く。そんな目が俺に向けられたことは初めてだった。

本気で俺を遠ざけようとしている……。

胸の奥が締め付けられるように痛む。

俺は……正しいことを言ったよな？

「解散よ」

謝る必要なんてないよな？

自信を持っていいよな？

本気で嫌われてしまっても……

「さようなら」

これでよかったって……

いつか思えるよな……。


「よう、大山」

誰もいないテニスコートをフェンス越しにぼうっと眺めていた大山を見つけると、その肩を叩く。

「うわぁ、日向くん！」

大山はがしゃーん！　とフェンスに激突して驚いてみせた。

「無事だったの!?」

「無事も何も、すでに死んでるからな。この世界ではどんなひどい目に遭おうがすぐ元通りに治るんだ」

「日向くんも死んでたのか……可哀想に……」

「おまえ、いい奴だよな」

今になってしみじみ思う。人じゃないって思い込んでいたから不気味だったんであって、ひとりの人間としてすべての言動を振り返るとそんな感情しか湧いてこない。

「いやいや、そんな、日向くんこそ僕を逃がすために犠牲に……でも、それでも日向くんはあの子と友達で居続けるんだよね、すごいよね」

「いや、残念ながら、友達じゃなくなった」

「え？　縁が切れたの？」

「切れたというか……切られちまった……」

「そうかー……だから、そんなに悲しそうな顔してるんだね」

なんだ、これ……。まるで失恋話を打ち明けてるみたいじゃねーか……。

「きっと時間が経てば、また仲直りできるよ」

そうしてこいつは、なんの根拠もなしに慰めてくれるんだ。

「俺、またひとりになっちまった……」

ここに来た日に戻っちまった。

「僕がいるじゃない」

「そうか、そうだよな……わりぃ、忘れてたよ」

「目の前にいるのに、それはあんまりだなあ、もう！」

そう言って、絵に描いたように笑う大山。

本当に可愛い奴だ。

けど、俺のこれからの目的はなんなんだ？

この世界でなすべきことは？

そもそも、本来すべきことがあったはずだ。

それは、そう。心の整理。

それをすればここから去って、生まれ変わることができるって、ゆりっぺは言っていた。

本当にそうなのだろうか？

なら、それに専念すべきなのだろうか。

でも、方法がよくわからない。

そこで、ああと思い当たる。

天使がいるじゃないか。神の使いなんだから、この世界のガイド役にもなってくれるだろう。あいつに訊けばいいんだ。

「大山、おまえはこれからどうする？」

「日向くんの無事がわかったから、部屋に戻って寝るよ。日向くんも戻るでしょ？」

「そういう今日明日の話じゃなくて、これからのことを訊いてるんだ」

「これから？　普通に学校に行くけど」

「それがおまえの心の整理の仕方なのか？」

「心の生理？　心に生理なんてあるの？」

「いや、そっちの生理じゃなくて、整理整頓の整理」

「うわっ、これは恥ずかしい勘違いをしちゃったよ！」

「もしおまえというキャラクターを物書き志望の奴が書いていたなら、そいつは一生プロにはなれないな」

「なにそれ？　皮肉？」

「それぐらい現実的ってことだよ。いや、逆か。嘘臭いってことだよ。いや、それも違うな。なあ、大山、おまえと

-Track ZERO-

いうキャラはなんなんだ？」

「そんなわけがわからない質問、真顔でしないでよ……」

「ははっ、その反応もグッドだ！」

「逆に日向くんのほうがよくわからなくなってきたよ……」

確かに。俺も俺というキャラがいまいちまとめきれずにいる。

まあ、死んだんだから、無理もない。ということにしておこう。

「で、話を戻すが、おまえの心の整理はどんな感じなんだ？　進んでるのか？」

「それはなんなの？　よくわかんないんだけど……」

「そっか、おまえは何も知らないんだったな」

それから俺はゆりっぺから聞いた話を、ゆりっぺから聞いたとは言わず、伝えた。

「そんなための世界だったの！　知らなかった！」

想像通りのリアクションで驚いてくれて、俺も話した甲斐があったというものだ。

「心の整理かー。そんなこと考えたこともなかったよ……」

「そもそもおまえの人生は、整理する必要があるほど難解なものだったのか？」

とても失礼な疑問が口からぽろっとこぼれ出ていた。

ところが、大山は……

「整理か……ふっ……」

遠い目をして笑ってみせたのだ。

「ちょっと待て！　おまえそんなキャラだったか!?　もっと脳天気でいてくれよ!!　俺の大山はどこ行ったんだ!?　俺の大山を返せよ、このやろ——!!」

「わぅけぇがわぅかぁらぁなぅいようっ、日向くぅんっ」

俺が肩を掴んでがくがく揺さぶるものだから、何を言っているのか聞き取れない。


「とにかく落ち着こうよ、日向くん」

「まさかおまえにそんなことを言われる日が来るとは……」

「でも、おまえが遠い目をして笑うからだぜ？」

「そりゃ自分の人生を振り返ればそんなふうにもなるよ、僕だってさ」

「そっか……」

こいつもこいつなりに複雑な人生を送ってきている、ということか。

「心の整理かー。付きそうにもないな、僕は」

「どうして」

「生きるのってさ、辛いことばかりじゃない」

「そうかな……」

それは自分へ呈した疑問でもある。

「じゃあ、日向くんは、めどが付きそうなんだ」

「俺？　俺はいいじゃん。俺のことなんか……」

「じゃあ、僕のこともどうでもよくしてよ」

「そりゃダメだ」

「どうして？」

「性分なんだ。俺に関わった奴をそんなどうでもいいなんて思えない。心配だ。特におまえは普段脳天気なぶん、抱えてるもんがヘヴィーな気がしてきた」

「日向くんってさ、ゲームの主人公みたいだよね」

「なんだよ、そりゃ」

「みんなの抱え持つ悩みをさ、ひとりで解決していくんだ。そんな友達が僕にもいたらさ……よかったな」

「今は、いるじゃねーかよ」

「……え」

「友達だろ、俺たち」

「はは……なんだかほんとにゲームの世界に入っちゃったみたいだ。日向くんが主人公で、僕は悩みを抱え持つ……村人A、かな？」


「ばーか、そこは仲間だろ。俺たちは同じパーティだ。一緒にこの世界で冒険を続けていくんだ」

「僕の職業はなに？　僧侶？」

「また地味な職業を選ぶんだな。剣士でいいじゃん。先頭に立って戦う。かっけーぜ？」

「いや、その百人斬りの剣士さんはさ、別にいるし、とてもじゃないけど張り合えそうもないからさ」

「百人斬りの剣士？　誰だよ、それ」

「百人蹴り？　あるいは、百回蹴り？　とにかくすごく勇ましい剣士なんだ」

……。

「その子も、もちろん仲間なんでしょ？」

……。

「その子も、すごく深い痛みを抱えてて、時には傷つけ合って仲違いして……だけど、それでも日向くんは一緒に連れていくんでしょ？　これからの長い旅を、共に続けていくんでしょ？」

……。

「きっと、今頃ひとりで途方に暮れてるよ」

……。

「あの子も仲間なんだよね？」

……。

「……もちろんだ」

深呼吸をするように答えていた。

そうだ。駆けつけてやらないと。

深く慎重に、でも自然と。

あいつはとても、孤独な奴だから。

手を差し伸ばしてやらないと……。

でもこの手をもう一度掴んでくれるかな……？

「なあ、僧侶の大山。俺にガードの魔法をかけてくれないかな……どんな罵倒にも暴力にも屈しない最強の守りの魔

法を」

「はは、そうこなくっちゃね！　よし、魔法、ヒーリング！　これでオーケー！」

大山は掲げた手を握り拳に変え、親指を晴れ渡った空に突きつけてみせた。

「なんだか体力が回復しただけにしか思えない魔法だが、ありがとよ！」

俺も親指を突き上げてみせ、きびすを返した。

探そう、最強の仲間、ゆりっぺを。


屋上への階段を駆け上がる。


青空が開ける。

だが、そこには誰もいなかった。

「……ゆりっぺ」

その名を一度呟《つぶや》いた後、俺は我に返る。

校内を探し尽くすんだ。

あいつが何もなさないまま無力にこの世界から消えてしまうなんてありえない。

あんな跳ねっ返り娘が。

どこかでまた、わーぎゃー騒いでいるはずだ。

それは静かな夜更けの浜辺の砂の中から、派手に光放つミラーボールを探すがごときたやすいことなんだ。


校舎を走る。

「ははは！」

笑っちまうぜ。

ものすごい喧噪《けんそう》が聞こえてくる。

その中心は、もちろん聞きなれたゆりっぺの罵声《ばせい》だ。

騒然とした教室に飛び込むと、野次馬に囲まれて、誰かに馬乗りをしているゆりっぺの姿があった。

下になっている相手は、生徒会長だった。

「さあっ、吐きなさいよっ、この世界の黒幕はどこにいるのよっ、どこで傍観《ぼうかん》してんのよっ」

「知らないわ」

「吐かないと、このままどかないんだからっ、この騒動の収まりはつかないんだからっ」

「そんなことはないわ」

「なによ、あの刃物でぶっ刺す気⁉　そんな力づくで押さえつけて、何かが解決するとでも思ってるの⁉」

「それは、今のあなたじゃない？」

「っ！　あなたにも死ぬっていう苦しみをこのまま味わわせてやろうかしら……？」

その両手が生徒会長の首にあてがわれた。

完全に我を失っている……。

俺がいなくなったからか？

それなりにショックだったのか？

なんて考えてる場合じゃない。止めに入ろう。

野次馬どもをかき分けて進む。もう少しで手が届きそうなところで、その体をひょいと持ち去られた。

体躯《たいく》のいい教師がゆりっぺを後ろから羽交《はが》い締めにしていた。

「邪魔しないでよっ、今はあたしはこいつと話してんのよっ！」

「たちの悪いいじめにしか見えなかったが？」

「相手は人間じゃないのよっ？　特殊な力を持った天使なのよっ？　それぐらいしなきゃ対等に話せないじゃないっ」

「わけのわからんことを……続きは生徒指導室で聞いてやるから、おとなしくしろ」

ぷちん、と何かが切れる音を確かに聞いた。

「おまえな……」

ぷらんと頭が垂れ下がった後……。

それは天を衝く勢いで持ち上がった。

「おとなしくなんてできるか、ばかやろ――っ！　人じゃない奴に人を指導できるかっ、ばかやろ――っ！　おまえに人の気持ちがわかるのか、ばかやろ――っ！　この気がおかしくなるぐらい理不尽な人生を強いられたあたしの気持ちがわかるのかっ、ばかやろ――っ‼　放せ、ごらああ――っ‼　消えろっ、うせろっ、誰も出てくんなあああ――っ‼」

そう唾を巻き散らした。

それでも、その体の束縛は解けない。

だが、その炉心溶融の熱は、俺の心の奥底にまで届き火を

-Track ZERO-

点けた。体が自然に動いていた。

ばきぃ！

俺のストレートが教師の顎《あご》を打ち抜いていた。

その体が崩れ落ちる。

俺はゆりっぺだけを抱き止めていた。

「何よっ、なんで今度はあんたが出てくんのよっ、このストーカーがっ！」

体をばたつかせて逃れようとする。

「俺は違う」

「何がよっ」

「おまえの言いたいことがわかる。おまえの気持ちがわかる」

「てめぇ、そんな簡単に言うなああぁ――っ！」

がこんっ！

頭突きを食らわされた。

気を失いかけるほど強烈だ！

でも、利かないぜ。俺には大山のヒーリングの魔法が効いている！

「大丈夫だ、安心しろ。俺はおまえの味方だ。決してひとりにはしない」

「何様のつもりじゃあぁぁ――っ!!」

ばきぃっ！

顔面を正面からぶん殴られる。

ぬるっと温かいものが鼻から垂れた。

血だ。どくどくと顎から喉《のど》へと止めどなく、伝い落ちていく。

多分、鼻の骨も折れている。

だが、大山のヒーリングのおかげでこれで済んでいるのだ。それがなければ俺の顔面は凹型にめりこんでいたに違いない。こいつの攻撃力の値はそれほど桁《けた》違いなのだ。

「大丈夫だ、安心しろ」

俺はゆりっぺの体を放さずにいた。それどころか、笑ってさえみせた。

「自分の身の方を案じろ、ぼけえええぇ――っ!!」

今度はアッパー。

鼻血が盛大に舞った。

おっと、意識だけは保っておかないとな。

俺が気絶してしまったら、またゆりっぺをひとりにしてしまう。

もうそんなのはやだからな。

誰もひとりはやだもんな。

俺だってそうだ。おまえだってそうだろ？

だから、何度も殴られ続けた。

そのたび、俺は、大丈夫だ、と諭した。

血塗《ちまみ》れになった顔で不格好に微笑み続けた。

「なんなのそれっ!?　かっこいいとでも思ってんの!?　最低よっ、最低!!　この世で最低に惨《みじ》めよ、あなた!?」

ゆりっぺの拳も返り血で真っ赤に染まっていた。

それを俺の胸に叩きつけて叫んでいた。

「そろそろ許してあげたら？」

その血塗れの手を掴んでいた。

生徒会長が。

「……許す？　何を？」

唐突な出来事で、その気勢が削《そ》がれるゆりっぺ。ぽかんと口を開けて訊いていた。

「あなたは何かに怒ってる。それを同じ人間にぶつけるのは酷よ。あなたは彼の邪魔をしているにすぎない」

そして、生徒会長はぼこぼこになっているであろう俺の顔を見た。

「ごめんなさい、あたしの代わりみたいにしちゃって」

「いや……」

「何言っちゃってんの、あなた。あたしが怒ってる？　そんなわけないじゃない。あなたの前でそんな感情的な姿を晒《さら》すわけないじゃない」

「どうして？」

「リーダーだからよ」

「なにの？」

「神に反逆するチームのよ」

「そんなのがあるの？」

「あるのよ。そして今、あなたはみすみす自らがこの世界の一部であることを認めた」

「いつ？」

「実に易《やさ》しくこの世界におけるこの行為の意味を解説してくれちゃったじゃない」

「それがその証明になるの？」

「それは、こいつらは絶対できないことよ」

ゆりっぺは、さらに増えている野次馬たちを首だけを動かして見回した。

「この世界の設定は、作られた住人には語れない。それはあなたという存在だけが語ることのできるメタ設定なのよ」

「面白いことを言うのね」

「じゃあ、笑ってみたら？」

「……」

「できない？　なら、人でもない」

「あなた、勘違いしているわ」

「どうとでも言って、天使さん」

「天使？」

ゆりっぺは俺の胸をどんと突いた。今の俺は不覚にもそれだけでノックアウトだった。よろめきその体を放してしまう。

ゆりっぺはそのまま立ち上がってみせた。

「そんなあなたをあたしたちは天使と呼ぶことにしたの。行くわよ、日向くん」

「あ、ああ……」

「絶対、あなたから、神を引きずり出す」

ゆりっぺが背を向け、歩き出すと、野次馬の群がさっと割れて道が開けた。

最強の戦士のお通りだった。


後に続いて廊下に出ると、大山が待っていた。俺の様相を見るなりあたふたと慌て始めた。

「あああぁあぁぁ、とんでもないことになっていたぁぁ!!　魔法、マジックガード！」

「それ、使いどころ合ってんのか……？」

「でも、無事仲直りできたみたいだね。よかったよ！」

「仲直り？　何それ？」

大山のピュア度１００％の言葉に対してとぼけてみせるゆりっぺ。

「え？　ふたりは縁を切っちゃってたんだよね？」

「ええと、あなた、名前なんだっけ？」

「大山だけど……」

「大山くん、驚かせて悪かったけど、あなたを誘い出すために一芝居打ったの」

「うそ、でしょ？」

うん、嘘だ。

「だって、あんな状態じゃ仲間になんてなってくれそうもなかったんだもの。あなたが焚きつけてくれたんでしょ、こいつを」

ぼろぼろの俺を指さす。

「それは……そうかもしれないけど……」

「でしょ。つまりは計算どーりってことよ」

腰に手を置き、したり顔でのーのーと言ってのける。

まったく、なんて調子の良さだ。

「つーわけだ、大人しく仲間になれ、賢者・大山よ」

俺もこの場は合わせておくことにする。

「そりゃあ、主人公のお誘いは断れないけど」

「何言ってんの？　リーダーはあたしよ？　これからはあたしの指示に従うのよ？」

「なんだか最初の戦闘で死にそうな気がするよ……」

「あっはっは、だからこの世界じゃ誰も死なないってば！」

いつものようにけらけらと笑うゆりっぺを見て俺は一瞬恐怖を感じた。

大山が仲間になったこと以外に……何か変わったんだろうか？

俺の心の奥底で燃え上がったあの炎の源はなんだったんだ？

まさか、俺まで本気で騙《だま》されてた……なんてことはないよな？

ないない。そう信じよう。じゃなきゃ、とてもじゃないが、このパーティでこのリーダーに背中は預けられない。

「で、君の名前は？」

大山が訊いていた。

「ゆり、よ」

「だが仲間は、親しみを込めてゆりっぺと呼ぶんだ」

と俺は付け加えていた。

「ちょっと勝手に決めないでよっ」

「ゆりっぺかぁ、すごくチャーミングでいいと思うよ。うん、僕もそう呼ばせてもらうよ、ゆりっぺ」

「げぇ……」

ささやかなる、俺の反撃だ。

どうだ、参ったか。

-Track ZERO-

「へぇ、神への復讐ねぇ！」

ぱこ――――ん！

「そう、大山くん、あなたはあたしたちの仲間になったと同時にそれをなす権利を手に入れたってことなの！」

ぱこ――――ん！

「でも、ばち当たりだよね⁉　そんなことしちゃって大丈夫なのかなあ！」

ぱこ――――ん！

「ばちもくそもあるかっての！　そんなものを人様に下そうとしてる時点で立場がおかしいじゃない！　何様なのよって話よ！」

ぱこ――――ん！

「僕らの創造主なんじゃないの？」

ぱこ――――ん！

「与えられて奪われて弄《もてあそ》ばれるためだけに生み出されたのなら、なおさらのことよ！　その理不尽を訴えなきゃ！　自らのこの力で！」

ぱこ――――ん！

「なるほど！　おっと！」

大山の握るラケットのその先をボールは通り過ぎていった。

「フォーティーンラブ！」

ふたりはテニスコートでテニスを、そして俺は審判をしている。

ホワーイ？　なぜこうなった？

ゆりっぺによると、神と戦うには体を鍛えることも大事だということだが、致命傷がリセットされるこの世界で肉体の強化など可能なのだろうか？

俺の予想では、単なるゆりっぺの個人的なストレス発散である気がする。

だが、それだけ距離が離れていては話しづらくて仕方がないだろうに。

「でー、具体的には何するのーっ？」

見ろ。呼びかけるように大山。

「それはねぇ……」

対するゆりっぺはぽんぽんとボールを地面とラケットの間で短く跳ねさせた後、それを掴み、宙に放り投げる。

「天使が守るこの世界の秩序をぶっ壊す！」

ラケットを大きく振りかぶり、サーブ。

ぱ――――ん！

打つと同時にそのボールが弾け飛んでいた。破片がぱらぱらとコートに降り注ぐ。

「うわ、なんて馬鹿力！」

「違うわよっ」

ゆりっぺは一言つっこんだ後、ラケットを放り投げた。

「最後に残しておいた駒が、自ら動いてくるなんてね」

そしてそっぽを向いた。

いや、そっぽじゃない。まさしく注目すべき点だったのだ。いつのまに現れたのか、その先に人が立っていた。

「興味が出た。面白いじゃないか、おまえたち」

あの男だ。校長室にひとり立てこもり校長を人質にとった男子生徒。

「頭を同じように吹き飛ばされたくなかったら俺の言うことに従うんだな」

そいつは不気味な笑みを浮かべて、銃をゆりっぺに突きつけていた。

「面白いものをお持ちじゃない？　それは壊されたはずなのにね」

「無駄口を叩くな」

謎はそれだけじゃない。弾もちゃんと入っていた。どこから調達したんだ？

「これは……やばいよ……どうしよう？」

大山の震える声。

「とりあえずおまえはサーブカットの姿勢を解け」

「いや、それがごめん……緊張して解けないや……」

銃をかざす相手にサーブカットで対応しようとする間抜けな格好のままでいた。

いやはや……と俺は嘆息《たんそく》した。

俺たちパーティはどこに向かっているのだろう？

俺はスコアボードを持ったまま、顎を上げた。

空は相変わらず晴れ渡ったままだった。

-Track ZERO-

# 第4話 COLD SUMMER

静かなテニスコート、その片隅に俺たちは人質のように集められ座らされていた。

体育の授業中と思しき喧噪は遠く、今ここでこんなことが起きているなんて、誰も気づいてくれそうにない。

俺たち三人は脅されていた。

「おまえらが言う天使を抹殺する」

銃を振りかざす男に。

「なんてばち当たりな！」
「なんだと？」
男に睨《にら》まれて、ひぃ、と身をすくめる大山。
「けど、相手は不死身よ？ それはお互いよくわかっているでしょ？」

この中に置いても、ゆりっぺだけは冷静だ。

「だが、致命傷を与えるとしばらく身動きが取れなくなる。だからあいつは俺を馬乗りにぶっ刺しやがったんだ。自らが動けなくなっても、俺を床にピン留めしておけるようにな」

なるほど。あの瞬間、標本の絵が浮かんだのは、あながち間違いではなかったようだ。

「あら、あなた、意外に頭いいのね」

「馬鹿にしてるのか？」

銃口がゆりっぺに向く。

「頼もしいって話よ」

「まだ状況を把握してないらしいな」

男はさらに距離を詰め、銃をゆりっぺの鼻先に突きつけた。

「大丈夫、わかってるわ。言うとおりにするわよ」

ゆりっぺは余裕の表情で首の凝りでも確かめるようにそっぽを向いた。引き金を引かれれば頭が木端《こっぱ》みじんという状況で。

「とんだタマだな」

男は銃を下ろす。

「で、天使の動きを封じて、それでどうするの？」

世界の境目を探すように視線を空に彷徨《さまよ》わせながらゆりっぺが訊いた。

「生き埋めにすればいい」

「彼女の力は人並みはずれている。いや、天使相応にと言ったほうが正しいかしら」

「ならそれだけ深く掘ればいい。上には可能な限りの重しを置く。俺たちの住処《すみか》をおっ建てるのが一番いい。異変にもすぐ気づける」

「そんな、誰かを生き埋めにした上でなんか寝れないよ……」

弱々しく大山が抗議する。

「ならずっと起きていろ」

「そんなぁ！　死んじゃうよ！」

すでに死んでるっつーの。

それも俺自身が散々つっこまれてきて、ようやく慣れてきたところだが。

「さあ、とっとと裏山に穴を掘る作業に入るんだ。深さ十メートル。もちろん掘れるまで眠る時間など与えはしない」

「十メートルって、んな無茶な……」

その数字を聞いて思わず口からこぼれ出る。

「時間はかかってもいい」

そうだよな……。無限にあるんだもんな。

「あの、もしかしてあたしも？」

結局世界の境目は見つからなかったのか、ゆりっぺは男を見上げて訊いていた。

「なんだ、女として扱ってほしいのか？　好みでもないんだが」

「あら、そうっ、そりゃ残念でした！　わかったわよっ、やるわよっ！　いくわよ、あんたたちっ、一日で掘るのよ！」

突如立ち上がるゆりっぺ。そのまま撃たれても仕方がないぐらいに、唐突だった。

「そりゃ、さすがに無理だろ……」

男に背後から銃を突きつけられたまま、半ば自棄になったゆりっぺを先頭に俺たちは歩きだす。


ざくっ。

スコップを地面に突き刺しては、掘り返していく。一時間以上ぶっ続けで作業をしているが、踏み固められていたのか、予想以上に裏山の土は手強くて、まだ深さは一メートルにも達していない。

「そっちは、どうだー、大山ー」

振り返り、訊く。

「ダメ！　もう腕に力が入らないよ！」

その大山は、スコップを杖代わりに休んでいた。

「あっはっは！　あたしが一番早いんじゃない？」

ゆりっぺは未だざくざくと順調に掘り進めていた。

「さすがだぜ、ゆりっぺ」

「女に負けるなんて、どれだけ体力ないのよ、あんたたち……ってちょっと待ったあぁ――――！」

「どうした」

ゆりっぺは腰を上げ、呆然と立ちつくしていた。

「どうして、あたしたちはそれぞれ別の穴を掘ってるの……？」

「おまえが誰が一番に早く掘れるか競争だ、とか言うからだろ」

「三人で、十メートルの穴を三つ掘ってどうすんのよっ！　残り二つの穴は意味ないじゃないっ！」

「今、気づいたか」

「気づいてるなら、早く言えよ、てめー……」

睨まれる。にしても、なんて言葉遣いだ。

「おまえも案外馬鹿なんだな」

「誰のせいだと思ってんのよ……あんたたちがしけた面してたから、リーダーとして少しでも士気を上げようとしたまでよ。その気配りがわからなかったの？」

「今説明されてようやくわかった」

「なら、集まりなさいよ、今からはこのあたしの穴をみんなで掘るのよ」

さくさくと、自分の足下をスコップで指した。

なぜそうなる。だが、逆らえないってことはわかっている。

「だってよ、大山！」

「ちょっと待ってよっ、今までの僕の苦労は⁉」

「水の泡よ」

「おまえが言うなよ」

「だからあんたたちのせいだってば。自業自得よ」

「そんなあ！」

渋々《しぶしぶ》、俺たちはゆりっぺの元に集まる。

その穴は確かに俺のものより深かったが、直径が小さかった。マンホール程度しかない。

「小せぇ……俺のほうを掘り進めるほうが効率いいぜ？」

「あら、何か？」

「そんな場違いな笑顔を見せるな。非効率でもこっちを掘り進めたくなる」

「結構」

「とにかく、深さより先に穴を広げないとね」

と大山。

「縦に突っ込めばいいじゃない」

「斬新な生き埋めだが、十メートル掘るには、いずれ穴に降りて掘っていかなきゃならないことに気づいているか？」

「わかってるわよ、つっこみで意気を確かめたかっただけよ。いい意気だったわ。さあ、広げていくわよ。はい、せーのっ！」

ごちん！

三人で頭をぶつけ合う。

「何すんのよっ、あなたたち邪魔したいの⁉」

「かけ声のせいだろっ、こんな小さな穴に同時にスコップ突っ込んだら、そうなるに決まってるだろ！」

「じゃ、あたしはしばらく見てるわ。あなたたち掘って」

「誰の穴だよ……」

「いいよ、やろうよ、日向くん」

汗まみれの顔で、笑いかけてくる大山。なんてお人好しなんだ。

「くそっ」

しかし……

俺は愚痴《ぐち》りながら、あの男の存在を思い出していた。これだけ好き放題騒いでおいて、よく文句が飛んでこないものだと。

見上げると、男は小高い場所に座って高みの見物を決め込んでいた。

その表情は逆光で見えない。

ただ、鈍く光る銃だけは、手放さずにいることだけはわかった。


「ダメだ……もうお腹がぺこぺこで動けないよ……」

大山が穴の底でがくりと膝をつく。

深さはなんとか俺たちの身長を越えたところだ。

「まさか、ご飯も食べさせてもらえないなんてことはないよね？」

「しっ」

頭上に立つゆりっぺが（なんとこいつはいつの間にか俺と大山の監視役となっていたのだ！　おまえも働け！　この

やろう！）、唇に人差し指を添えていた。

どーでもいいが、ここの位置からだと風の吹き具合によって、白い下着がスカートの下で見え隠れする。ほんとどーでもいいので何も言わなかったが。

「どうした？」

小声で訊く。

「あいつが寝入ってる」

囁き声が返ってくる。

「なるほど。そいつはチャンスだな……」

俺はスコップを地面にぶっ刺して、穴から這い上がる。もう全身泥だらけだ。風呂にはいつ入れるのだろうか。

「銃を奪うわ」

「ああ」

「僕は？」

下から声。

「おまえはここで待ってろ」

こいつは簡単なことで悲鳴を上げかねない。

その大山を残し、俺とゆりっぺは慎重に坂を登っていく。

草を踏む音さえ耳障りなほど大きく聞こえる。

そんな静けさの中、男は木にもたれ、心地よい風に吹かれて眠っていた。

こうして見ると、男はひどく疲れきっているように見えた。

銃を握る手も弛《ゆる》みきっている。

ゆりっぺがそれにそっと手を伸ばす。

唾を飲むことさえはばかられる緊張感。

それはするっと抜け出て、ゆりっぺの手に渡った。

すぐさまくるりと手の中で返すと、グリップを握り、周到に一度だけスライドを引いた。

かしゃっと音がし、チャンバーに弾が再装填された。

それを男の頭に突きつけた。

「起きなさい、状況が変わったわ」

男の目が薄く開く。しばらくとろんとしたままだった。

「……幸せな夢を見ていた」

「あら、そう。それはごめんなさい。地獄に突き落としちゃったようで」

「……あいつがいる楽園はどこにある？」

寝ぼけているのだろうか？

「甘えたことを言ってちゃダメよ。楽園は作り出すのよ、自らの手で」

「そうだな……おまえはいいことを言う」

「あたしがリーダーよ。これからはあたしの指示に従ってもらう」

「俺たちは死なない。そんなものは脅しにならない」

「死ぬ痛みは味わうわ。すでにあなたは味わっている。もう一度知りたい？」

「いや、それはおまえが知るべきだ。二度とこんな真似をしでかさないように」

不気味なまでの余裕のわけが今、明かされた。

新たな銃口がゆりっぺに向いていた。

それは分身したかのように、男の手の中に現れていた。

こいつは撃つ！

俺はとっさにゆりっぺに体当たりを食らわしていた。

ぱ――――ん！

乾いた音。

「ぐあっ！」

右腕を吹っ飛ばされた。

それぐらいの衝撃だった。

撃たれたんだ、俺は。

ぱん！

次の銃声はすぐ隣でした。

「日向くん！　走って！　一時撤退よ！」

手を引かれる。肩に激痛が走る。

-Track ZERO-

その痛みに一瞬よろけるが、なんとか足を踏ん張って駆け出す。

「大山ぁ！　退却だ！」

「うわ、待ってよ！」

俺たちは暗い森の奥へ向けて、逃走を図った。

■■■■■■■

月の光さえ届かない鬱蒼《うっそう》とした木々の下で俺たちは息をついていた。

「大丈夫、こんなのかすり傷よ」

ゆりっぺが撃たれた肩の傷を診てくれた。

ぱしん！

「いでぇ！」

最後に叩くのは余計だ。

「一体何があったのさ……」

大山が心配げに訊く。

俺も状況を把握したい。黙ってゆりっぺの言葉を待った。

「銃を奪ったの」

暗がりの中、うっすら見えるのは、あの男が持っていた銃だ。

「でもあいつは、もう一丁隠し持ってた。それであたしを撃とうとした。そうしたら、日向くんがあたしの代わりに……」

大山の目がこっちに向く。

「ああ、撃たれた」

「それで……？」

「撃ち返してやった、これで……」

いつになく緊張した面もちで握るそれを見下ろす。

きっと銃を撃つなんて初めてのことだったのだろう。それも人を。

「だって、そうしなきゃ仕方なかったじゃない……仲間が撃たれたんだもの……」

誰も聞いていないし、責めてもいない。

だが、ゆりっぺはそう自分に言いわけをした。

「どこに当たった？」

「お腹」

「なら、しばらくは動けないかもな。時間稼ぎとしては正解だったと思うぜ？」

「そうね……」

「でもさ……どうしてこんなことになっちゃったんだろうね……。どうして人同士で殺し合いみたいなことに……」

いつになく深刻な表情で大山が漏らす。

「そんなものがあるからだろう……」

ゆりっぺの手の中にある、曖昧《あいまい》に握られた鉄の塊を見やる。

「それも二丁よ。増えた……どこからこんなものを……」

「きっと裏社会と通じてるんだよっ」

「この世界に裏社会、ねぇ……」

「とにかく天使よりも、当面の問題はあいつになったな……どうする、ゆりっぺ」

「……」

いつものゆりっぺならそれを考えるのがあなたの仕事とでも言い返しそうなものだが、この時ばかりは地面を見つめて、まるで聞こえていないかのように黙ったままでいた。

「腹を撃ったんなら今の奴は動けないはず。戻って詰問《きつもん》するか？　銃のこと」

だから、俺からそう提案してみた。

「それで何かが解決するの？」

「銃の入手経路がわかる」

「ねぇ、日向くん。あなたは勘違いしているわ」

「何を」

「あたしたちが直面している問題は、銃の脅威やその存在じゃない」

「じゃあなんだってんだよ」

「この最悪の状況からどうやってあの男を仲間に引き入れるかってことよ」

心底驚いた。

相手は、自分に向けて迷いもなく引き金を引いた男だぞ？

まだそんなことを考えていたとは……。

「でも、それはすごく難しいことだよねぇ」

そしてまたおまえは当然なことをわざわざ口にするんだな、大山。

その通りだ。すごく難しい。

不可能だと言ってもいい。

だが、こいつは挑戦するんだ。

その超難度ウルトラCに。

「そうねぇ……じゃあ、男らしく果たし状を出すわ」

「……は？」

俺と大山の間抜けな声が重なった。

「おまえ、男だったのか？」

げすっ！

……蹴られた。

「誰が男だ、ああん？」

さらに服をひっ掴《つか》み、顔を寄せてくる。

「あんたが昼間、ちらっちらっ覗《のぞ》いてたあそこにはあんたと同じものがついてるように見えたか？　ああ？」

気づいていたのか!?

「覗いてなんかいねぇよっ！　おまえがあんな場所に仁王立ちしてるからだろっ」

「まあ、まあ、何があったかは知らないけどさ、こんな時に喧嘩はよそうよ」

大山が間に割って入ってくれる。

「見なさいよ、同じ状況にいた大山くんはまるでそのチャンスに気づいていないわ」

「まだ続けるかよ……つかチャンスってなんだよ、そんなのチャンスなんて言わねーよ、こちとら濡れ衣着せられるだけの不幸な事故だっ、自惚《うぬぼ》れてるんじゃねーよっ」

「鎌掛けてみただけよっ、引っかかっちゃってバカなんじゃない⁉」

「なんだってぇ⁉」

「まあ、まあ、何があったかは知らないけどさ、こんな時に喧嘩はよそうよ」

出た！　大山の驚愕《きょうがく》の天然発言！

「おまえはほんと、物書き志望が書いたらいけないことを言うんだな」

「え？　今のはわざとよね？」

「いや、天然なんだ」

「マジで……？」

気勢を削《そ》がれ、きょとんとしてしまうゆりっぺ。

「そんな驚かれるようなこと、僕言った？」

「おまえは一字一句違わぬセリフを二度繰り返し言った。物書きの立場で言うならコピペだ。それはリアルにはありえないことなんだ」

「へぇ、そうなんだ。で、それが何か問題？」

脱力する。

きっといつまでもこうして大山というキャラクターは、これからも俺たちの喧嘩をぴたりと止めてくれるのだろう。それを大山マジックと呼ぼう。ああ、だから賢者なのか。

納得。

「で、男らしく果たし状ってのはなんだ、わけがわからない、説明してくれ」

冷静さを無理矢理取り戻し、そう訊く。

また同じことを言わせたいのか、こいつは。

「男同士の勝負よ」

「でも、ゆりっぺは女の子だよね？」

よくやった大山。そんな当たり前のことを素直に訊ける、それがおまえの存在価値だ。

「だから、その女の子が男らしく果たし合いを申し込んできたら、乗ってくるんじゃないかと思って」

「あいつは馬鹿じゃない。裏をかかれるぞ」

「確かにあなたはバカよ」

誰もそんなことは言っていない。

「でも、男なんてみんな似たようなものよ。あたしならその裏をかけるわ」

「考えがあるのか？」

「ひとつだけね」

「なんだ？」

「天使に立ち会ってもらうわ」

「……は⁉」

また大山と声が重なる。やべ、人のことは言えねぇ……。

「そりゃ、いくらなんでも無理があるだろう……」

「そお？　物は言い様だと思うけど」

ありえるのだろうか、そんなことが……。

ゆりっぺとあの男が果たし合いをし、その立会人を天使が務めるなんてことが……。


夕飯は、俺がひとり学食に忍び込んで、携帯可能なパンだけを制服の中に詰め込んで、ふたりへ調達した。

「あなたひとりいいもの食べてきたんじゃないでしょうねぇ？」

白い目が暗闇の中でこっちに向く。

「してねーけど、したっていいだろ……」

律儀に一緒にパンを摘《つま》む。

「なんかこうしてるとキャンプみたいでいいね」

大山の平和ぼけしたセリフが場を和ませる。

今にも、背後にあの男が立っていて、銃口を向けているかもしれないというのに。

俺はぞっとして振り返るが、もしいたとしても、この暗さでは見えない。

「恐がりね。どーせ死なないんだし、いいじゃない」

「自分の掘った穴に生き埋めにされっぞ」

「なんのための仲間よ。信じなさい」

「そこは信じてるわ、だ」

「まだ信じちゃいないわよ」

「嘘だろっ!?」

「まあ、まあ、どっちでもいいじゃない。僕らの友情は、きっとあの天の星になったとしても、潰《つい》えやしないよ」

「それ比喩のつもりなら、俺たちすでに天の星になってるからな」

いつも通りの掛け合い。もしこの三人でがばりと生き返ったら、コント芸人を目指してみないか？ そんな馬鹿話をしてゆりっぺに呆れられ、大山とはより絆を深め、寝るまでの時間を過ごした。

「手、出したら、殺すわよ」

「安心しろ、寝返り打って寄ってきてもこっちはよけるからよ」

ばきっ。

就寝。

■ ■ ■ ■ ■ ■ ■

ゆらゆらと光が揺れている。朝が来たんだ。

木々の隙間から射す陽は、波のきらめきのようで美しかった。

そういや、最後に海に行ったのはいつだったっけか。

部活の同じ二年同士で行って、大会前で、何も考えずはしゃげて……あの時は楽しかったなあ。

……なんて郷愁にふけってる場合じゃない。

起き上がって、怪我をしたほうの腕をぶんぶんと振り回してみる。まったく痛みはない。

むしろ、寝る寸前にゆりっぺに殴られた頭のほうがまだずきずきする。

「うしっ」

ゆりっぺはすーすーと性格からは考えられない可愛い寝息を立てて、眠っていた。

おまえは、股をかっぱーと開いてがーがーいびきを立てて寝ているべきだ。

そんな天使のような寝顔をしていては格下げだ。なんの格が下がるかはよくわからないが。

ああ、ゆりっぺだ。ゆりっぺという格が下がる。アイデンティティに関わるぞ、いいのか？

なんてことを考えながら、しばしぼぅっとその寝顔を見ていた。

腹がぐうと鳴る。

触ったら殺されるし、自然に起きるのを待つしかねーな。

大山を起こした後、俺は朝食の調達に出かけた。

寮から登校する生徒に混じって俺たちは校舎の中を歩いていた。夕べは風呂にも入ってないわ、髪をとかすものもないわで、寝癖がついたままのとても目立つ三人だった。

「ここね」

急に立ち止まるゆりっぺに激突する。さらにその後ろから大山がぶつかってきて、ふたりしてゆりっぺに覆いかぶさる。

「あんたたち、なんなの!? やっぱ邪魔したいの!?」

だから突然がばりと三人同時に生き返ることがあったその日にはコント芸人を目指そう。

「行くわよっ」

ゆりっぺは教室に入ると、見知らぬ生徒たちの視線を集めまくりながら、堂々と横断していく。

俺たちもその後に続く。

窓寄りの陽当たりのいい席。そこに彼女はいた。

「生徒会長」

小さな顔が持ち上がり、我らが姫君を見た。

その顔は朝の逆光を浴びて、まさに天使だった。マジ天使なのであった。

「あの男と決闘するの。立会人をお願い」

髪の乱れまくった暴れん坊姫はそう告げた。

「……？」

天使の眉《まゆ》が寄った。

うん、その反応は正しい。

「あなたを銃で撃ちまくった男よ」

「……」

「あたしが負けたら、あなたの言うことに従うわ」

「あなたが勝ったら？」

「お茶に呼んでくれない？」

「……？」

また眉が寄った。その反応も正しい。

「あなたの部屋でお茶しない？ って言ってんの。これまでのことは水に流して、仲良くしたいなって」

そう来たか。なるほど、物は言い様だ。

「この決闘にあなたに不利益なことがあって？」

「ないわ」

「じゃあ、立会人頼める？」

「ひとつ、条件があるわ」

「何？」

「お茶する時は、その男の人も一緒」

「当然。望むところよ」

にっと唇の端を持ち上げるゆりっぺ。

こうして天使は見事なまでに言いくるめられてしまったのであった。


続いて、書道部の部室に忍び込み、謎なぐらいご丁寧に筆、墨、硯、半紙を用意すると、ゆりっぺは果たし状の認めに入った。

筆を操るその背筋はぴんと伸びていて、無駄に流麗《りゅうれい》だ。

「なんて書いてるの？」

意外なほど達筆だったため、大山と同じ疑問が湧くが、グラウンドというカタカナと四時という時間指定だけは解読できたので、俺は読めてるぜ？ という振りをしておく。

俺が訊いてもどうせ馬鹿呼ばわりされるだけだ。

十分に乾かした後、それを細く折り畳む。

「で、問題はそれをどうやって渡すか、だが？」

「そんなの決まってるじゃない」

次に忍び込んだのは弓道場。

勝手に人の弓と矢を拝借するゆりっぺ。

矢の中ほどに果たし状を結びつけた。

「えらく古典的だな……」

「面と向かって手渡せないこの状況では、これしか方法がないわ」

「けど、弓なんて引けんのかよ、おまえ」

「あたしのイメージでは引けるわ」

「なら、大丈夫だな」

「えぇ、どこが!? 今のなんの根拠にもなってないよね!?」

生き返ったら、おまえがツッコミだ。頼むぞ、大山。


またあの小高い丘へと向かう。日中だとこんなに風景が違って見えるものなのか。小動物でも飛び出してきそうなほど、暖かな日差しが降り注ぐ穏やかな裏山だった。

男は最後に見た格好と同じままで、同じ場所に座り込んでいた。

「まだ傷が治っていないのかな？」

「治ってるんじゃない？ 好きでああしてるだけよ」

確かに。俺だって、校舎から落ちても、翌日には動けていた。

「じゃ、あの後ろの木、めがけて行きますか」

ゆりっぺは弓を構え、ゆっくりと弦を引き絞った。

おお！ 様になっているじゃないか！

シルエットだけは、十分に熟練者だ。

ぎりぎりぎりと弓がしなる。

目一杯弦を伸ばしたところで、矢から手を放した。

ずぶしゅっ！

男の眉間に突き刺さった！

「うわあ、果たし状がそのままとどめになった！」

「どこが男らしいんだよ、闇討ちになってるじゃねーかよ！」

「任務完了。どうせ夕方までには治るわ。行くわよ」

俺たちのつっこみは華麗にスルーして、坂を降り始めるゆりっぺ。

こうしてすべての根回しを終えたのだった。

■■■■■■■

風が冷たくなり始めた。

陽は傾き、広いグラウンドの中心に立つゆりっぺの背後に長い影を作っていた。

そもそも今の季節はいつなんだ？　死後の世界に四季の移り変わりなんてあるのだろうか。

体感的には春か、秋の始まりか、そんな辺りだろうが、状況から言えば冷え冷えとした夏だ。そんな狂った感じ。

ゆりっぺから少し離れた位置に天使が立つ。

ウェーブがかった髪の毛がさらさらと舞って、綺麗《きれい》だった。その美しさも場違いな感じだった。

俺と大山は、そんな風景を前に、校舎の壁にもたれて立ち、ただ行く末を傍観《ぼうかん》するだけの身となっていた。

「遠くから銃で狙われたりしないかなあ」

「これだけだだっ広いんだ。あんな銃身の短い銃じゃ狙撃は無理だ」

「そうか。だから、ゆりっぺはここを決闘の場に選んだんだね！」

「ちなみに今の会話も、物書き志望としては、説明臭すぎてNGだ。覚えておけ」

「別に僕、物書き志望じゃないから……」

ゆりっぺと天使は何か話をしているようだ。

ゆりっぺが笑う。ひとりだけが笑っていてもそれは談笑と呼ぶのだろうか？

そんなことを思いながらぼうっと眺めていると、いきなり隣で悲鳴がした。

男が大山を抱き込み、銃をこめかみに突きつけていた。

壁を背にして死角はなかったはずなのに……

まさか、上から降ってきたのか！

思わず見上げようとしたが、よそ見をしている場合じゃない。

「なぜ天使がいる」

そう男は俺に訊いた。

「立会人だ。どっちが勝ったかをフェアに判定する」

「そんなことを信じると思うか」

「俺だって信じられねーよ。よく引き受けてくれたもんだ」

ゆりっぺたちはまだこちらに気づいていない。

もしかしたらこうなる展開を読んでいて、ずっと天使の注意を逸《そ》らし続けてるのではないだろうか。

なら、俺の役割はなんだ……？

考えろ……。

勉強などせず、部活に惚けてきた頭をフル回転させる。

「見つかったらやばいぜ？」

と言ってみた。

「……？」

「人質を盾にとっている今のおまえは明らかにこの果たし合いに対し不正を行っている。立会人の天使に見つかればどうなるかねぇ？」

「生意気だな……この俺を脅すのか」

銃口がこちらに向く。

「おっと、銃声が聞こえたらばれるぜ？」

「……」

男の動きが止まった。呼吸すら止めているように思える。

どうこの状況を打開するか、考えているのだ。

唐突に男は、大山の体を俺に向けて突き出した。

「わわっ……」

前のめりにつんのめる大山を抱き止めてやる。

「ありがと、日向くん」

よく耐えたと頭を撫でてやる。

「茶番だな……」

男はそう呟《つぶや》いて、銃一丁構えると、ゆりっぺたちの元へ歩き始めた。

大山を抱いたまま、その背を見送る。

ゆりっぺ、どうだ……？　俺の行動も計算通りだったか？

近づいてきた男に気づき、ゆりっぺと天使が振り返る。

ゆりっぺが俺を見て、その口を動かした。

……無事だった？

そう訊いていた。

大丈夫だ。

俺は親指を空に向け、突き立ててみせる。

……後は任せておきなさい。

そう続けた気がした。こんな離れていて聞こえるはずもないのに。

ふたりの対決が始まる。

一言二言会話を交わした後、ゆりっぺと男は背中合わせに立った。

決闘は成立したのだ。

まさか本当に天使を使って、こんな状況を作っちまうなんて、我らが姫君はすげぇな……。

「いちっ」

天使のカウントがここまで届いてくる。

ふたりが同時に一歩目を踏み出す。

「にっ」

二歩目。

「さんっ」

ふたりの距離が開いていく。

「よんっ……ごっ……ろくっ……」

カウントは続く。

「じゅう！」

最後の一歩でゆりっぺは大きく地面を蹴っていた。

体を投げだし前転し、土埃を巻き上げる。

だが、男は冷静だった。

撃ちはずして動揺することなどなかった。

ただ冷淡に、腕の角度を変え、銃口を目標に合わせ直しただけだった。

裏をかききれなかった⁉

やべぇぞ、おい！

ぱぁん！

男が撃った。

その直後、信じられない光景を俺たちは目の当たりにする。

きぃん！

耳障りな金属音がほぼ同時に続いていた。


天使が、その手から伸びる刃――ハンドソニックで跳弾していた。

ぱん！

その後ろでゆりっぺが振り向きざまに銃弾を放っていた。

それはまるで……

ふたりの呼吸の合った、コンビプレーのようだった。

男がどうと倒れた。

勝った……。

が、わけがわからない。

なぜ天使はゆりっぺを助けた？

「やったあ！」

隣にいたはずの大山が喜びの声を上げて走り出していた。

よくわからないが、俺もその後に続いた。


天使とゆりっぺは何事かもめていた。

「勝負はついていたわ」

「ついてなかったわ。勝ったのはあたしよ」

「あなたは負けた。あたしは負けたあなたをかばったまで」

「状況を見なさいよ。どうしたらあたしが負けたって言えるの？　なんなら観覧していた全校生徒に訊いてみてはどう？　ひとりでもあたしが負けたと言い張れる奴がいたら、連れてきなさい。負けたことにしてあげるわよ？」

「だからそれは……」

「そうだよ、ゆりっぺが勝ったんだ！　わーい！」

「そうよ、やっほ――――い！」

天使の言葉をかき消すように騒ぎ始める大山とゆりっぺ。

大山は天然で、ゆりっぺはそれに乗っかってるにすぎない。

あんたもやんなさいよ、という目が俺を射抜く。

「だから……」

「はは……俺たちの勝利だあ――――っ!!」

「ひゃっほ――――い！」

「ゆりっぺ、最高――――!!」

天使の周りをくるくると俺たちは馬鹿騒ぎをしながら回り続けた。

天使が、もういいわ……と観念するその時まで。


「はい」

ことり、と湯呑みが目の前に置かれる。

「狭いわ」

ゆりっぺが不服を口にする。

「あなたが言い出したことじゃない」

と天使。

「そーなんだけどー、予想外っていうかー」

口を尖《とが》らせるゆりっぺは意外と可愛い。また俺の中で『ゆりっぺ』という格が下がる。

「どんな部屋を予想してたの？」

「天蓋《てんがい》付きのベッドがある感じ？」

「そんな部屋はこの寮にはないわ」

天使の部屋は、俺たち男子の暮らす部屋と同じ間取りの質素なものだった。備品もまったく変わらない。違うところといったら、衣服や本の整頓が行き届いているぐらいだ。

天使の住処に辿《たど》り着けると興奮していた俺たちはとんでもない肩すかしを食らっていたのだった。

「これ、何ー？　あー、パジャマかー、可愛いの持ってるのねー」

それでもゆりっぺは遠慮なく、部屋を漁って回っている。

「くんくん、うん、いい匂い」

クローゼットから衣服を取り出しては顔を埋める。

頑張れ。俺にそんな変態な真似はできない。

「命令さえくれればいい。今すぐ吐かせてやる」

大山がびびるほどすぐ隣に男はいた。

その手を銃の形にして、天使に向けた。

二丁の銃はもうない。天使に没収された。これだけはゆりっぺも譲った。

「そんなバカな命令は出さないわ。他の衣服もこれと同じ匂いがするか嗅《か》いでってくれない？　で、元通り畳んでいって」

そのパジャマを顔面に投げつけられる男。

「ひぃっ」

びびる大山。だが男はくすりと口の端を持ち上げた。

その後、がっはっは！　と大笑いした。

「えぇっ、天使の体臭には毒キノコのような成分がっ!?」

別の意味でびびる大山。

「本当に面白い奴だな、おまえ。名前は？」

「ゆり。けど、仲間は親しみを込めて、ゆりっぺと呼ぶらしいわ。あなたは？」

「なら俺はチャーだ」

「チャー？　なにそれ？」

「名前だ」

「チャーね。そう呼べばいいのね。じゃあ、匂い嗅いでいってね」

すぐさま、が――はっはっは！　と笑い、顔に垂れ下がるパジャマを激しく揺らしてみせた。

「この人、何が面白いんだろう？」

「さあな」

「おまえは、俺の嫁にそっくりだ」

「えぇえ――――!!」

三度《みたび》重なる、俺と大山の声。

「あら、あなた高校生で結婚してたの」

「そうだ。だが、ふたりだけの楽園を探しに旅立った。現実にはない……遠い世界に」

後半は声をくぐもらせた。それは……

「へぇ、何が原因で？」

ところがゆりっぺのほうはいつもの調子で、一番ナイーブな部分にどストレートに質問を投げつける。

「相手の親から離縁を強いられた」

「けど、ふたりは愛し合っていたのね」

「ああ。それは間違いない。家族も、友も捨て、永遠にふたりきりになろうとした。だが……離ればなれになってしまった。こうして、俺はひとりきりなってしまった……なぜだ……ずっと考えていた……それがわからない……どうしてだ……？」

「あなたにはなすべきことがあるのよ、この世界で。それにあなたはもうひとりきりじゃない。あたしというリーダーがいるわ」

「俺たちという仲間もいるんだけどなぁ……」

「後は酒だ。酒さえあればいい。仲間になろう」

あるわけないだろう、と言おうとした時。

「科学室にあるわ。アルコール」

あっさりとゆりっぺが答えていた。確かに。

「ふっ……ははっ……が――っはっはっ!!」

また気が触れたように豪快に笑い出す。

「揃ってしまった……」

直後、呟きに変わる。

「いとも簡単に……あの時俺が持っていたものが……そのささやかなすべてが……」

途中からは涙声になっていた。表情は、天使の可愛らしいパジャマで覆い隠されて見えない。

この男が……泣いているのだろうか？

「冷めてしまったわ……煎れ直す」

まるで気でも利かせるように、その前の湯呑《ゆの》みを天使がお盆に乗せ、立ち上がって、部屋を出ていく。

ゆりっぺは引き続きがさごそと、形のいいお尻を振り振りさせ、クローゼットの中を漁っていた。

そのケツが唐突にぴたりと止まる。

「どうした、何かあったか？」

「どうしてこんなものが……」

ゆりっぺは、そろそろとそれを引きずり出してみせた……。

# 第5話 Man Like Creatures

ぱすっ！

地面に滑り込んだ先、そこにボールは叩きつけられていた。

「いてぇ、また擦りむいた！」

俺は肘を確認して、その傷つき具合に嘆いた。

「バカ！　あんなのも取れないの!?」

我らがお姫様が憤慨《ふんがい》しておられる。俺が怪我したことなんてお構いなく。

「あなた、運動神経には自信があったんじゃないの!?　スポーツ大好きっ子じゃなかったの？　負けそうじゃないっ。なんなの？　口先だけだったの？　負けてあたしに恥かかす気？」

「いいか、ゆりっぺ。今まで我慢していたが、一気につっこむことにした」

俺はゆらりと立つ。

「何よ」

「なぜこれからの話し合いをするのにバレーをする必要がある」

「体力の増強も兼ねてるからよ」

「しかもおまえはなんだ、なぜアタックしか打たないんだ、俺だけにレシーブをさせてほいほい二段トスで打つな！　俺にトスを返せ、なら勝たせてやる。そして、最大のつっこみどころだ。バレーまでならわかる。なぜ、水着姿にまでなって外でビーチバレーなんだ！　しかもビーチじゃない、ここはただのグラウンドだ！　地面がかっちかちにかてーから見ろ、両肘両膝が擦り傷で血まみれだ！」

「だって、四人っていったらビーチバレーじゃない。ねぇ？」

「俺は麻雀でもよかったんだがな」

スパイクを容赦なく打ちまくってくるチャーが涼しげな顔で言う。

「そんな不健康なのはダメよ。発散できないじゃない」

「あ、今おまえ、発散つったよな？　体力の増強とやらはどこいった？」

すかさずつっこみを入れる。

「あなたたちの第三の欲求の発散も兼ねてるって意味よ！　体動かして発散してもらわないと、あたしの身が危ないわ」

「という、おまえは実に挑発的な格好だな」

「だって、見つけちゃったんだもの。これは実に不思議よ。どうしてこんなものを天使が持っているの？」

それは、ゆりっぺの言うところの、天使の部屋を調べた唯一の収穫である、パレオ付きのビキニだった。

「だからって着る意味がわからねーよ！」

「天使の水着よ？　もしかしたら、超人的な力が湧《わ》いてくれかもしれないじゃない。それを試してみてるのよ」

いや、こいつはただ着たかっただけだ。言い切れる！

「早くボール拾ってきて試させなさいよ」

「検証だったら、もう十分だろっ！　どれだけスパイク打たしてやったと思ってるんだ！　そいつはふつーの水着だ！」

「えー、もうちょっとしたかったなー」

しゃがんで、口先を尖《とが》らせる。

こいつは……。ただ遊びたかっただけなのか……。

「じゃ、そろそろバレーは終わりにして、次いきましょーか」

すぐさま立ち上がり、明後日（どこだ？）の方を向く。

「なんだ、今度はプールで泳ぐのか？」

「あなたバカ？　あたしたちは遊びにきたんじゃないのよ？　知らなかった？」

おまえが女じゃなかったら、俺は殴ってる。

「チャー」

腕組みし、いつも通りの根拠のない自信満々の笑みで呼んでいた。

「なんだ」

「そろそろ教えてもらえるかしら。銃をどうやってこの世界へ持ち込んだかを」

……確かに、チャーが仲間になった今、すぐに問いただすべきことだった。

制服に着替え直し、裏山を上っていく。

「ここだ」

一本の大樹の前でチャーが足を止めていた。

その根本を覆う草藪《くさやぶ》を払いのけると、大きな穴が現れた。まるで、巨大なもぐらでも住んでいるかのような。

「まさか……この中に潜れっての？」

「そうだ。嫌か？」

「いいわよ……はぁ……せめてジャージに着替えてくるんだったわ……」

不平を漏らすゆりっぺ。

「では、ついてこい」

チャーが頭から穴に突っ込んでいく。

ゆりっぺが先に行けと顎《あご》でくいっと指す。

四つん這いになり、俺と大山が続く。

穴の奥には板が立てかけてあった。チャーがそれを手でどけると、その向こうに小部屋が現れた。扉のようなものなのだろうか。

順に中に入り、立ち上がる。

「通電してる……」

低い天井には電球が瞬《またた》いていた。

その下には技術の授業で作ったかのような簡素な木製のテーブルと椅子が一組あった。

「あなたが作ったの？」

「住み心地はよくしたが、部屋自体は元からあった」

ゆりっぺの問いにチャーが低い声で答えた。

「誰かがここに住んでいたんだね」

と大山。

「いや、ここは見張り部屋に過ぎない」

「は？」

俺たち三人の声が重なる。

「まだまだ下に通路は伸びている。どこまで続いているかは調べきっていない」

「何よ、それ……よくそんな不気味なところに住んでるわね……」

「地底人でもいるなら、確かにな。で、そんなことをくっちゃべりにきたのか？」

横道に逸《そ》れていきそうだったので、俺はそう急き立てた。

「いえ。じゃあ、見せてもらいましょうか」

「ああ」

チャーは椅子を引いて、座る。

そして、テーブルに積まれていた〝土くれ〟を手に取った。

「どこの土？」

「粘土質《ねんどしつ》であればどこのでもいい」

足下《あしもと》にあったバケツには茶色い水が貯めてあり、それで手を湿らせ、チャーは土を揉《も》み始めた。

それは相当根気のいる作業のようで、俺たちは無言のまま何十分と待たせられることになった。

「できた」

指と指の間には、細長いピンのようなものが挟まれていた。

「え、それがさっきの土くれ？」

「そうだ」

ゆりっぺがそれを受け取り、興味深く精査した。

「鉄になってる……言うなれば錬金術《れんきんじゅつ》ね。いつからできるようになったの？」

「最初は家を立てようと思ったんだ。あいつがいつやって来ても、ふたりで過ごせるようにな。木はいくらでも生えていたが、釘が圧倒的に足らなかった」

「それで？」

「木だけで組もうとしたが、隙間ができた。それを粘土質の土で埋めようとした」

「そうしたら？」

「釘を握っていた」

「土が釘に変化したと？」

「ああ」

ゆりっぺはしばし考えた。

「もしかしたら、あたしたちにもできるかもしれない。みんなで挑戦よ」

そこからは図工の時間となった。


二時間にも渡る格闘の末、ゆりっぺだけが成功した。

「すごいよ、ゆりっぺ！」

「あんたたちがだらしなさすぎるのよ……」

呆《あき》れた目で大山と一緒に見られる。とても屈辱的だ。

「でも、これだけの時間をかけてできたのはたかが釘一本よ？　チャー、あなたはどうやって銃を作り上げたの？」

「すべてのパーツを揃え、組み上げた」

「さっきのもその一部ってこと？」

「ああ。ファイアリングピンの芯だ」

「つまりあなたは……銃の構造を克明《こくめい》に記憶しているのね」

「そうだ」

「そりゃ、相手の両親に離縁を迫られるわ」

「無関係ではないだろうな」

「やっぱり裏社会と通じてたんだ！」

大山が高々と訴える。

「おまえが言うと、まるでテレビドラマの世界の出来事のようだな。軽々しい」

「ひぃっ、ごめんなさい！」

おまえ、びびりすぎ。

「で、ゆりっぺはこの錬金とやらをどう考える？」

俺は大山を放っておいて話を進めることにした。

「わからないけど……あたしたちに肉体的な死が訪れないように、ここは精神的な世界なわけじゃない？　そういうことと関係してるんじゃないかしら。克明な記憶は強い念を持ってすれば、この世界で復元可能。ただひたすらそれは単純なものでないと無理。例えばこの一本のピンのようにね。だから、いきなり銃は生み出せない。物質を構成する最小のパーツのみ可能。そう考えると、錬金術と言うより原子の組み替えを行っていると言えるわ」

「先生、わけがわかりません」

と訴えるが、

「無視して先に進めます」

無下にあしらわれる。

「チャー、あなたすべてのパーツを揃えて、一丁の銃を組み上げるのに時間はどれだけ必要？」

「今のところは一週間。時間にして約百七十時間かかる」

「不眠不休でか……それは辛い作業ね」

「命令とあらば全員分作るが？」

「いつかは頼むかもしれないけど、今はいいわ。それより

-Track ZERO-

も、この先よ」

言ってゆりっぺは、部屋の奥に据えられた扉を見た。

「気にならない？」

同感するものはいなかった。

「行くわよ」

「ええーっ！　これは本格的なダンジョン探索だよ！」

「そうだ、ゆりっぺ、装備が足りない」

俺が止めた。

「そんなに深いの？」

チャーに訊く。

「俺は地下二十二階まで辿り着いたところで、食料なしでは戻ってこられなくなると思い諦めた」

「地下二十階!!　なんてサバイバル!!」

おまえ、その言葉を流行らせたいのか。

「つーわけらしいぜ、ゆりっぺ」

「わかったわ。じゃ、水と食料の準備よろしく。後、懐中電灯ね」

いとも簡単に言ってのける。

「まじっすか……」

その好奇心、探求心はどこから来るのか……。

■■■■■■■

ミネラルウォーターとパンと懐中電灯ふたつを詰めたスポーツバッグを背負い、穴蔵が隠された木の麓《ふもと》まで戻ってくると、ゆりっぺの狂喜乱舞《きょうきらんぶ》する騒ぎ声が外まで漏れ聞こえていた。

ぜんぜん隠れてねー。

藪をどけて、穴に潜り込む。

部屋に入るなり、ゆりっぺが満面の笑みで寄ってくる。実に不気味だ。

「日向くん、これ、見てよ、なんだかわかる？」

ふーっと息を吹きかけて、羽の部分をくるくると回してみせた。

俺が答えるまでふーふー吹き続けるので俺の顔にまで息がかかる。

「風車《かざぐるま》だろ。どうした」

「作ったのよ、あたしがねっ！」

なぜそんなにテンションが高い。

「あ、そ」

「この土からよ?」

「そいつは器用なこった。もう少しで銃ができそうだな」

「そんな無粋なものなんて作らないわよ。風車。いいでしょ?」

「じゃあ、くれ」

「あんたなんかにやんないわよ」

こいつは……興味を持ってほしそうに言い寄ってくるから、わざわざ合わせてやってるというのに……。

「後、ふたつ作らなきゃ」

俺は並ぶ顔を数える。俺に大山にチャー。

三人分。

やっぱくれるんじゃないか。

「楽しみに待っとくよ。さあ、こっちは準備万端だぜ」

スポーツバッグを下ろし、懐中電灯を取り出す。

「じゃ、遅くならないうちに出発しましょ」

風車を大事そうにポケットに刺した後、ゆりっぺは奥の扉の前に立ち、それを蹴り開いた。


「今にも崩れそうじゃない……?」

荷物持ちに任命された大山が恐る恐る訊く。その後ろで俺は皆の足元をライトで照らしながら歩いていた。

「補強はしてあるみたいね」

先頭を行くゆりっぺが照らし出す通路の壁は板張りになっていた。

「チャー、あなた、ここに天使を誘い込んで生き埋めにしようとは考えなかったの?」

「これほどおかしな場所をもったいない」

「同感ね。何があるのか実に楽しみ」

「ねぇ、ここらでご飯にしてそろそろ帰ろうよ……」

肝試しか。

「行き止まり?」

ゆりっぺが立ち止まっていた。その向こうをライトで照らすと、壁が立ちふさがっていた。

「まだまだ」

チャーが、ゆりっぺの前に出て膝を付くと、床を剥《は》いでみせた。

階下への梯子が現れた。


どれだけ降りてきただろう。

歩いてきた距離だけでも大変だったのに、帰りは上っていくことを考えるとぞっとした。

「ハロー」

ゆりっぺが意味のわからないことを口走っていた。

「何がハローだよ」

「いや、地底人に日本語は通じないかなって」

「英語だとその確率は上がるのか」

「地球の人口の割合で言えばそうなるわね」

「で、なんなんだ。何を見つけた」

「だから、地底人」

「うおらあああぁぁぁぁ――――――――!!」

雄叫《おたけ》び声が上がった。俺たちのものじゃない。

どすんっ！

地面が揺れていた。

その地底人とやらは今、何を振り下ろしたんだ!?

一瞬天使のハンドソニックを思い出したが、そんな生易しいものじゃない。もっと馬鹿でかく、悪辣《あくらつ》なものだ。

「ナイストゥーミートゥユ～」

ゆりっぺの声。何をのんきに！

「うらあああああああ――――っ!!」

どごんっ！

もう一度叩きつけられる。今度は体が一瞬浮くほどの衝撃が伝わってきた。なんて馬鹿力だ！

「アイムファインサンキュ～！　手がふさがってんだから、あんたたちっ、なんとかしなさいよっ！」

「了解。なんとかしよう」

チャーが請け負った。

直後……

「ぎゃあああああぁぁぁぁぁぁ――――!!」

大山の断末魔《だんまつま》。

「ほいよ」

「なあ!?　放しやがれぇっ!!」

ゆりっぺによりライトアップされた地底人はチャーによって背後から羽交い締めにされていた。

下からは、ぶしゅううぅぅぅと血が吹き出る音がし続けてるが……ライトを向けたくない……。

「日向くん、くっつけてあげて。離れたままじゃ治らないかも」

なにをっ!?

「肉を切らして骨を断つってな」

「他人の肉じゃ言わないわよー?」

「ふふ……そうだな」

こいつら悪魔だ……。

とりあえず見ないようにして離れていた部位をくっつけて

やる。癒着《ゆちゃく》は始まってるが大山の顔面は蒼白《そうはく》で、がくがくと震えている。暗所恐怖症という新たな設定が大山のプロフィールに加わることだろう。

「話を聞こうじゃない？　地底人さん。言葉は通じる？」

大山のことは俺に任せて、尋問が始まる。

「おまえらは、あいつとは関係ないのか……」

「訊いてるのはこっちだろうが！」

どが！　とチャーが壁が蹴る。

「まあまあ、いいじゃない。で、そのあいつって何者？」

おまえら、いつの間にそんな凶悪コンビになったんだ。

「この地下のボスだ……」

「そんなものがいるの？」

「このゲームを終わらせたいなら、私を倒せだとさ……」

「ゲームねぇ……」

「だからこの手で終わらせてやる……」

「終わらないわよ？」

「あん……？」

「そんなことじゃこの世界は終わらない。ずっとこのまま続いていくわ。だから、自分たちの力で変えるの。安心して、あたしはあなたの味方よ。結託しましょう」

そんなさっきまで大暴れして奴が簡単に頷《うなず》くかよ。

「……」

男はじぃっとゆりっぺの顔を覗いていた。

「……いいだろう」

仲間加入最短記録がここに生まれた！

なぜ？　今までの、どこに信用に足る要素があった？

「放してあげて」

ああ、とチャーが男の体を解放した。

「あたしがリーダーのゆり。みんなはゆりっぺと呼ぶわ。あなたは？」

「野田だ」

「じゃ、野田くん。最初の指示よ。共にここの地下のボスを倒しにいくわよ」

「任せておけ。おまえは後ろで見ているだけでいい。こいつさえあれば俺は無敵だ」

言って、武器を拾い上げる。その無敵なおまえはたった今

までチャーに拘束されていたわけだが。

「あのね、野田くん。あたしたちはチームなの。ひとりで倒そうなんて思わないで」

「あいつは俺にしか倒せない」

すでにチームからはみ出している！

「いくぞ」

長い得物─確かハルバートとかいう武器だ。まさか残存するとは─を抱え、先頭を切って歩き始めた。

なんて直情的な奴が仲間に加わったんだ……。

俺は手のひらで顔を覆う。オウマイゴッド状態だ。

やれやれ……先が思いやられるぜ……。

パーティは五人となり、最下層を目指す。

「ふあああぁぁぁ!! こわいよぅ、こわいよぅ、もう帰ろうよぅ……」

案《あん》の定《じょう》大山は暗所恐怖症となっていた。

「おい、なんでこんなびびりが仲間にいるんだ」

野田、おまえのせいだ。

「ばあっ！」

「うわあああああぁぁぁぁぁあああぁぁ!!」

突然自分の顔をライトで照らし振り返るゆりっぺと、それを見て悲鳴をあげて飛び上がる大山。

「こらこら、意味のないことはよせ。いつからこのチームは大山を使ってストレスを発散するチームになったんだ？いじめだぜ？」

「ショック療法よ」

「その、後からもっともらしい嘘をつくのはよせ。どんなリーダーだ」

「仲間思いのリーダーよ。やり方はきっついけど愛情は伝わってるわよねぇ、大山くん？」

「うんうん、すごく伝わってきたよ、だから帰ろうよぅ……」

「ダメ、行くわよ」

世界一理不尽なリーダーだ。

長い梯子を降りていく。

「これで地下何階？」

全員が降りると、ゆりっぺが振り返り訊いた。

「二十七だ」

俺はさあと肩をすくめるだけだったが、チャーが数えていた。

「ったく、とんでもない深さね……なんのためにあるのかしら？」

「ここのボス様が知っているのではないか？」

「倒しちゃって、本当にこの世界がゲームで、それでゲームクリアしちゃったらどうしよう？」

震える声で大山。

「何がいけないんだ。それが今の目的だ」

先頭の野田が振り返る。

「あんた、そんなので納得できるの？」

「あん？ 納得？ なんの話だ」

「あのな、ここは死後の世界で、俺たちの目的は、神に復讐することなんだ」

そして、なぜその最大のチームの目的をリーダーじゃなく、俺が今頃になって説明しているんだ。

「死後の世界だって？ 神に復讐？ ちょっと待て、なんだそのとんでも設定は……」

「忘れてたわ。でも、そうなのよ」

忘れるな。一番重要なことだ。

「それはゲームの話だよな？」

「残念。現実なのよ」

「現実……現実にこんな武器が存在するものか……」

自分で持っておいてそれを言うか。

「なら、おまえはなんだ……ヒロインじゃないのか？」

開いたままの瞳孔がゆりっぺに向く。

「ヒロイン？ 何それ？ あたしはこのチームのリーダーですが、何か？」

「そして、俺の妻でもある」

チャーが、最悪のタイミングで冗談を言う。

幽霊のように呆然《ぼうぜん》と立つ野田。まあ、全員幽霊みたいなものだが。

「俺は……主人公ではなかったのか……」

「どちらかというとサブキャラね。もう仲間になったんでしょ、つべこべ言わずに従う」

「そんな……脇役なんて……ごめんだあぁぁ────っ!!」

「うわっ！」

大山を押し退けて、走り去っていった。

「逃げたな……」

「逃げたわね……」

「追いかけるか？」

その方向をライトで照らし、俺は訊く。もうその背中は見えない。

「ここまで来て戻るの？ そんなのやーよ」

なんてわがまま。

「かと言って、仲間をほっておくのか？」

「彼は、この地下の最下層にボスがいることをあたしたちに伝えるためだけのイベントキャラだったのよ」

「斬新《ざんしん》な割り切り方だな」

「それまでの男だったってことだろ」

とチャー。おまえも少しは罪の意識を持て。

-Track ZERO-

「さあ、行くわよ」

「本当に行くんだな。すごいリーダーだな」

「ちょっと、日向くん」

ゆりっぺがずかずかと目の前まで歩いてくる。

「まるで、釈然《しゃくぜん》としないようだけど文句があって？」

こうして凄まれるのも久しぶりな気がする。

「いつも通りじゃん」

「なんかあなた、チャーが入ってから、暗くなったわよ。陰湿にぶちぶち文句言ってばっか。全部聞こえてるのよ？あっ」

「なんだよ……」

「嫉妬ね？　嫉妬してるのね？」

「誰が誰に何を根拠に」

「あなたがチャーに。チャーがあたしを奥さんに似てるって言うから」

「そうか。小僧には俺が邪魔ってことか。そうか、それは気づかなかった。すまん、すまん。今後気をつけよう」

どんっ、と背中を叩かれる。

「ちっ、そんな気遣いは無用だぜ！」

そういう妙なチームワークが気に障る。それは正直なところだが……。

……って、え？　俺は本当にチャーに嫉妬しているのか？

確かに、こいつは頼もしい。さっきだって、いとも簡単に突然切りつけてきた暴漢を取り押さえて見せた。（手段がどうあれ）

もしかしたら……。

俺はもういなくても、いいんじゃないのか？

ずっと心配だと思っていたゆりっぺには、もうかつてなく頼もしいパートナーがいて……俺は不要になってるのじゃないか？

もはやいいとこ、大山のお守《も》りにしかなっていないのではないか……。

そんなことをぐるぐると考えながら、下層を目指した。

「ご飯にしましょ」

俺たちは広めの部屋を見つけると、そこに陣取り、食事を始めた。

ゆりっぺはけらけらと笑いながら、チャーと話している。

あー、苛立つ。

はっ！　これが嫉妬か！

しかしなぜだ？

いいことじゃないか。この誰もついてこなかったようなまったく人望のない奴に、かつての伴侶《はんりょ》と似ているという理由で最強の仲間がついた。

俺のやることがなくなって、楽になったってもんだ。

俺の感情を無視すれば、チームとして問題なしだ。

……。

そこで違和感。

待て、よく考えろ。本当に問題なしなのか？

何かがおかしい。良くない気がする。

ああ！　と思い至る。

仲間が逃げているじゃないか！

チャーが仲間入りすることにより、俺は萎縮《いしゅく》し、ゆりっぺの独裁は揺るぎなくなり、チームとしては最悪の状態に陥っている！

それが現状だ！

「なあ、ゆりっぺ、進言する」

「はっはっは、あなたの奥さんアホねぇ！」

聞いちゃいねぇ！

「ゆりっぺ、聞けよ！」

大声で言って、意識をこちらに向けさせる。

「何よ」

不愉快な表情。だが、今はそんなこと関係なしだ。

「野田を探そう」

「のだ？」

「仲間の名前すら忘れたかよっ」

「ああ、あいつね。彼が何？」

「探そう」

「何言ってんのよ、ここまで来て。どこで別れたと思ってんのよ」

「あの時言うべきだった。それは俺の落ち度だ。謝る。すまん。だから探そう」

「そんな非効率なことできないわ」

「そりゃもっともだが、俺たちは仲間だ。あいつだって、こんな地下深くでひとりきりで寂しい思いをしてるに違いない。探して連れ戻すべきだ」

「いい方法がある」

不気味にチャーが頬をつり上げる。

「なんだよ」

「二手に別れよう。俺とゆりっぺは最下層を目指す。おまえと大山は野田とやらを探せばいい」

「なんだよ、それっ」

「おっと、済まない。おまえとゆりっぺが最下層を目指せばいい。俺と大山で野田とやらは探す」

「なんで謝んのよ」

「気配りが足らなかったからな」

「ふぅん……で、あんたはどうしたいの？」

ゆりっぺが俺に訊いた。

はっ！　また選択肢が俺には見える！

**・大山とふたりで野田を探す**
**・ゆりっぺとふたりで最下層を目指す**
**・ゆりっぺの装備変更：制服→パレオ付き水着**

くりっくりっとカーソルが上と下とを行ったり来たりする。

（三つ目はなんだ！　自分でもわけがわからない！）

悩んだ末に選んだコマンドは……

「俺とチャーが最下層に向かう。ゆりっぺは大山と野田を探して、連れてきてくれ」

「えーっ、なんでよ⁉　わけわかんないっ！」

「最下層で待つのはボスだ。野田の言ってたことが本当なら戦いになる。そうすると、力のある俺とチャーで応戦するのが一番だ。全員で突っ込んでいって全滅なんて日には、二度と地上へ戻れなくなるかもしれない。それに野田を連れ戻すことは、ゆりっぺ、リーダーとしてのおまえの役目だ」

「いえ、リーダーとして、是非ボスを倒したいわ」

子供か、おまえはっ！

「危険つってるだろ⁉」

「なら、なおさらじゃない？」

「とどめはとっといてやるからっ」

「そんな器用なことこいつにはできない」

ゆりっぺはチャーを指さす。

「確かに」

あっさり認めるな！

「あの野田とかいう男のことは俺とこいつに任せて、おまえとゆりっぺで行け」

言って、大山の肩をばしばし叩く。それだけで大山のライフは激減していそうだ。

「そうするしかねーのか……あと、大山、そろそろ喋れ。物書き志望がこれだけひとりのキャラを無言のまま放置させておいたら、第一選考も通らない」

「その皮肉は聞き飽きたよ……」

「結構」

またゆりっぺの口癖が移ってる気がする……。

「じゃあ、それぞれの今後の行動は決まったな。とっとと食って、動き始めるぞ」

食事を終えると、二手に分かれて立ち、互いの健闘を祈り合う。

「日向くん、これは僕からの餞別《せんべつ》だよ。魔法、キュアポイズン！　これで何があっても大丈夫！」

「なんだ？　俺は今まで毒にでも犯されていたのか？」

「じゃあ、行きましょ」

「あいつを見つけたら、首に縄つけて駆けつける」

「ああ、頼むぜ」

「じゃあね！」

二組は、それぞれの方向へ歩き出す。

「あら、そういえば」

しばらくしてゆりっぺが思い出したように口を開いた。

「なんだよ」

「ふたりきりになるのって久々ね」

ああ。その通りだ。俺はそのことばかりをずっと考えていたんだ。おまえはたった今気づいたというのか。なんて鈍感なんだ。いや、俺が気にしすぎなのか……。

「なんだか、ふたりで殴り合ったのも遠い昔のことみたい」

「悪いが殴り合った覚えはない。一方的に殴られた記憶なら鮮明にあるが」

「女ひとり相手に何よ。あなた、もしかしてものすごく弱いんじゃない？　チャーを倒したのだってあたしだし。屋上から落ちてばかりだし。これからの戦いが不安になってきたわ」

-Track ZERO-

「まだ本気を出していないだけだと思ってくれ」

「本気ねぇ……いつ出すわけ？」

「そりゃあ、おまえがピンチの時だ」

「あなた、そうなる前にやられてそうだわ。自分のピンチの時に本気出してくれない？」

「性分なんだろーが、あんまり自分のためには本気になれなくてね」

「はぁ、日向くんって、ほんと心配なのよねぇ……」

おまえに言われたくない。

「日向くん、これ」

「ん？」

ゆりっぺが俺に差し出していたのは、あの風車だった。

「これがどうした？」

「貸しておいてあげる。絶対壊さないでよね？」

「なら、自分で持ってろよ」

「お守り代わりよ。一応それにはね、死なないように、って願《がん》をかけてあるの」

「ふぅん……」

風車を見つめる。

どーせ死なない世界なのに……。

でも、一応、気を遣ってくれてんだな……。

「さんきゅ」

受け取って、ズボンの後ろポケットに突っ込んだ。


くそ長い梯子を降りていく。

「なんて広い空間……」

下を行くゆりっぺがライトで床を照らし出そうとするが、それはどこまでも深い闇に吸い込まれていく。

「最下層っぽくね？」

「同感。ラスボスの間って感じね……」

「ラスボスってなんだ？　天使とは逆に悪魔でもいるのか、この世界には？」

「火吹き竜かもよ？」

「そんなの魔法がねぇと、倒せねー！」

「あなた、大山くんにかけてもらってたじゃない」

「ああ、あのままだったら、俺の体力は一歩ごとに減り続け、今頃死んでたんだろーからな。大山には感謝感謝」

「地面、見えてきたわよ」

「ん」

ライトの光が床を照らし出していた。

土がむき出しのでこぼこの地面。これ以上先はない、そう告げているようだった。

「やっっほおお――――――っ！」

降りるなり、ゆりっぺは口を手で囲ってそう叫んでみせた。

しばらくして、やまびことなって、やっほーやっほー……と戻ってくる。

「すごい広さだわ。あなたもやってみたら？　気分いいわよ？」

「非常に魅力的な行為だが、ラスボスに俺たちがやって来たことをみすみす知らせてしまった気がしてならない」

「あのねぇ、ひとつ教えてあげるわ」

「なに」

「ラスボスってのはね……動かないのよ」

「なぜ」

「玉座《ぎょくざ》に座って、前口上《まえこうじょう》を言うためにね。だから、いきなり攻撃はしかけてこないの」

……。

そもそも。

ラスボスと称したのは、おまえであって。

それがわかっているか、ゆりっぺ？

この先、どんな危険が潜んでいるのか、まったくわからないんだぜ？

なんの危機感もなくライトを振りかざし、奥へ進んでいくその背中に訊く気は起きなかった……。

とりあえず、こいつが突然やられてしまわないように、ついていかなくては。


「見なさいよ」

「嘘だろ……」

ラスボスは玉座に座っていた。

いや、正確には玉座ではない。それっぽいもの。校長室にしつらえてあるような肘掛け付きの椅子だ。

それに腰掛け、こちらを見ているのは、ひとりの女だ。すっぽりとマントのようなものを纏《まと》っているので、学校の生徒かどうかはわからない。

「まだ第一形態ね」

「なんの話だ」

「体力ゲージが半分になると、禍々《まがまが》しいモンスターに変貌《へんぼう》を遂げるの」

今言われると、本当にそうなりそうな気がする。

「さあ、前口上を言うがいいわっ」

ライトを剣のように見立てて、相手に突きつける。

そう、今の俺たちは丸腰なのだ。本当にモンスターに変貌を遂げたとしたらどうしたらいいんだ？

「……あさはかなり」

そう喋った。

……。

続きを待った。

……。

「……かかってこい」

「短かっ！」

ふたりしてつっこまざるをえない。

「ちょっと待ちなさいよ、今からあなた、倒されるのよ？ もっとバックボーンとか、ここまでに至るプロセスとか話しておいてもいいじゃない？ 謎残しすぎじゃない⁉ このまま倒したって、こちとらカタルシスゼロよ？ 気持ちよくないわっ」

「何者なんだよ、てめーは」

……。

待つ。

……。

が、それ以上何も話す気はないようで、口は閉じられたままだ。

「とても無口な方でいらっしゃるようだぜ」

女が立ち上がった。

マントの下から現れたのは、これまた刃だった。

「やべー、こいつも天使かも。しかも好戦的な」

「戦うわよ」

「どうやって」

「どうやってって、それを考えるのが……」

「そんな時間はねぇみたいだぜ……」

立ち上がったと思ったら、瞬間移動のような速さで俺たちの目前に立っていた。

なんて速さだ！


「やべぇ……」

「もし、少年漫画だったなら、ここらで『続く』で一息つけるんだけど」

そんな都合のいい話はない。

# 第6話 バイ・マイ・サイ

「どう⁉　考えてる暇はあった?」

「そんな少年漫画のような溜《た》めはない！」

今や、階層にして地下三十階以上を誇る巨大ダンジョンのボスたる女は目と鼻の先。

マントの下から、ぬらりと日本刀のようなものが暗闇の中、ライトを受けて鈍い光を放っている。

「おまえも天使、いや、生徒会長の仲間なのか?　こんなところで何をしている?　来る者を襲ってるのか?　敵味方の区別をどうやってつけている?」

相手に攻撃の隙を与えないように畳みかけて質問攻めにする。活路はこれしかない。

「あなたが言いたいことはわかるわ。そう、その通りよ。結託しましょう」

と一気にまとめあげるゆりっぺ。

「待て、人が頑張って話を引き伸ばしてるのに締めにかかるな！」

ひゅん！

鼻が飛んだかと思った。

が、すれすれでなんとかよけていた。

ゆりっぺと共に後ずさる。

「ダメね……平和的解決は望めそうにないわ……倒すわよ」

「どうやってっ」

「なんか技を出しなさいよ」

「そんなゲームじゃあるまいし、技なんてあるかよっ」

「なんでもいいからっ」

「じゃあ、俺の雄《お》たけびでびびらしてやる。聞けぇっ、うがあああああああああああぁぁぁぁぁぁ――――‼」

「きゃあっ、耳がきんきんする！」

ゆりっぺがマヒ状態になった！

「何すんのよっ」

「何させるんだよっ」

ゆりっぺはマヒ状態から回復した！

「でも、もしかしたら見かけ倒しで弱いかもしれない。突っ込んでみるわ」

「いや、あの速さを見たろ⁉　すでに人間離れしてるぜ！」

「せやあぁっ！」

俺の言うことも聞き入れず、突っ込んでいく。

手には懐中電灯だけ。丸腰でなんて無謀すぎる！

女のマントがふわりと揺れる。煌《きらめ》く刃。

辿《たど》り着く寸前、俺はゆりっぺの足元にスライディングを決めていた。

ずべんっ！　と転ぶゆりっぺ。

ふわりと宙に残った髪の毛先を切り揃えられていた。

なんて躊躇《ちゅうちょ》のなさだ……あのまま突っ込んでいたら間違いなくゆりっぺの胸が切り裂かれていた……。

「何、仲間に攻撃してんのよっ！」

ゆりっぺは100のダメージを受けていた！

見上げると、女は刃を高々とかざしていた。

やべぇ！

そのままゆりっぺをキックで蹴り飛ばし（さらに100のダメージを与えた！）、素早く足を引っ込める。

ざくっ。

-Track ZERO-

靴の先にそれは突き刺さっていた。

ぎりぎり指には達していない。

その靴を脱ぎ捨て、後ろに跳んだ。

それにより、俺とゆりっぺの間に距離が開いた。

女はその間に割って立つ。

「こっちだ、こっちを見ろ！　おまえに用があるのは俺だ！」

体勢を立て直し、訴えた。

「なんでよっ、あたしがリーダーなんだから、用があるのはあたしよ！」

「こらぁーっ！　囮《おとり》になってやろうとしてるのがわからねえのか！」

「なら、そんなリーダー然としてじゃなく、もっと情けない感じで訴えなさいよ！」

「どんなだよっ」

「あなたの下着着脱シーンを出来心で覗《のぞ》いてしまった変態で卑《いや》しいこの僕をどうかひと突きにしてください、とかよ」

「わかったよ！」

今のセリフを心の中で反すうする。

よし、言うぞ……。

「おい、おまえ、おまえの下着着脱シーンを出来心で覗いてしまった変態で卑しいこの俺をどうかひと突きにしろ！」

どんなキャラだ。

だが、こちらに顔が向いた。

「よし、カモーン」

「もっと変態っぽく下劣《げれつ》に！」

「その怒った感じの顔いいよ……とってもいい……もっと怒ってよ……はぁはぁ……」

言いながら、後ろに下がる。

「そうそう。そういえば、こんなところでお風呂とかどうしてるのかしら」

「お風呂にはちゃんと入っているのかぁい？　ああ、何か匂うよ……はぁはぁ……」

「やばい……こんな変態仲間にしておけない。帰ったら解雇ね……」

「誰がやらせてるんだよ！」

それでも効果はあったようで、女の殺意の眼差しは完全に俺をロックしていた。

そうだ。こうしてこいつの注意を引き付け、逃げ続ければいいんだ。

そうすれば、ゆりっぺに危害は及ばない。

けど、それからどうすりゃいいんだ？

まともにやり合って、勝ち目はない。

こちとら武器さえないんだから……。

そうか……仲間を待てばいいんだ。

俺たちはひとりじゃない。チームなんだ。

小説だったら、一方その頃って感じで、視点が飛んで、今まさに得物を携《たずさ》えた野田を連れて、ここに向かっている大山たちの姿が描かれているはずだ。

五人が揃えば、負けない。

この世界で最強の五人なんだ。

それまで俺が逃げ続ければいいのだ。

それだけの話だ。

すとん！

……ん？　何が起きた？

女は未だこちらを見て立ち尽くしているが、床に伸びる刃からは血が滴《したた》っていた。

右半身が重くなっていく……この感覚はなんだ？

右足が生ぬるいものに濡れていく……。

女が背中を向ける。

おい、待て……。

そっちにはゆりっぺが……。

挑発をしなければ……。こっちに気を向けさせなければ……。

けど、頭が回らない。いい言葉が思いつかない。

馬鹿は承知してるが、なんだ、この鈍った感覚は……。

喋れ……なんでもいい……。

「まだ……まだだ……終わってねぇ……」

女が振り向いた。

俺は直感だけで、体を折っていた。

よけた。切られたのは、きっと服だけだ。

なんて体が重いんだ。そのままぶっ倒れそうになるが、なんとか上体を再び起こした。

また来る！

よけた。切られたのは、きっと服だけだ。

さらに来る！

よけた。切られたのは、きっと服だけだ。

何度も来る。

何度もよけた。

切られているのは、きっと服だけだ。

ぜんぜん平気。大丈夫だ。

「……あさはかなり」

何がだよ。何があさはかなんだよ……。

それともそれがおまえにとっての褒め言葉なのか？

すべての攻撃をかわしきる難敵に対し、窮《きゅう》した時呟《つぶや》く言葉なのか？

「あなた、もうボロボロなのよ!?　わかっていないの!?　とっとと倒れなさいよ!!」

何を言ってるんだ、ゆりっぺ。

俺は無事だぜ？

それよりおまえはもっと遠くへ逃げろ。俺がこいつを引きつけておくから。

「なんで立ってられるのよ！　あなた、もう手もないし、足も一本だし、顎《あご》だって削ぎ落とされてるのよ!?」

んな馬鹿な……。

そんなのが立ってたら、まんまゾンビじゃねーかよ……。

冗談じゃねぇ……また過剰な脚色を……。

状況が状況だが、ひとこと言ってやらねば。

ゆりっぺ、あのなあ！

それは声にならない。息が漏れただけだった。

すかん！

頭蓋骨《ずがいこつ》が揺れた。

左目が見えなくなっていた。

右目が、そこに突き刺さる刃を見ていた。

おっと、ついに食らっちまった……。

ゆりっぺ、おまえが喋りかけるからだぞ。

女が刃を引き抜き、そして右目に狙いを定めていた。

なんて悠長《ゆうちょう》な動きだ。これまでの速さはなんだったんだ？

次はよけられる。

来いよ。

ほら。

どん、という衝撃と共に世界は闇に閉ざされた。

なんだ？　俺はよけきれなかったのか？

ずず……ずず……。

体が引きずられている……。

倒れちまったのか、俺は？

おい、どうなった？

訊くが、こふっと息が漏れ出ただけだった。

ずず……ずず……。

何が起きている？　教えてくれ、ゆりっぺ。

ずず……ずず……。

ふぅ、ふぅ、と荒い息遣いが聞こえてくる。

俺を引きずっているのは、おまえなのか、ゆりっぺ？

どうして？　なぜ？　逃げろよ、おまえひとりで。

その体に触れようと手を伸ばす。

が、肘《ひじ》までしか動かなかった。肘から先はどうなっている？

麻痺《まひ》しているのか？

その肘が、ようやく、ゆりっぺの体に触れた。

「なによ……」

小さな囁《ささや》き声が返ってきた。

こふーこふーと訊く。

「逃げてるのよ……撤退よ……」

ずず……ずず……。

「闇に乗じてね……でも、あのぐらいの奴なんだもん、気配で気づかれてるわよね……」

なら、ひとりで逃げろ。

こふーこふー。

「こんな……こんなひどいことになるなら……あなたを連れてこなければよかった……あたしってひどいリーダーよね……ひとりその気になって、面倒見てる気になって……あの時と同じじゃない……」

ずず……ずず……。

逃げろ、奴はやばい。

こふーこふー。

「でもね……あなたは死なせない……こんなところで、潰《つい》えさせないわ……絶対、連れて帰る……」

逃げろ。

こふーこふー。

「絶対よ、ぜっ……」

ずぶり。

……!?

どさり。

ゆりっぺが……倒れた。

きっと、後ろから刺されて……。

「うっ……くっ……」

すぐ近くにいるのがわかる。

その絶え絶えの息を感じる。

ああ、声が出せたらなあ……。

手を伸ばせたらなあ……。

そして、その頭を撫《な》でてやれたらなあ……。

そうしたら、慰《なぐさ》められたのに。

死体同然の俺を連れて逃げようだなんて……。

敵に背中を見せてまで。

こうして、やられることがわかっておきながら。

「うぅっ……」

だから、泣くな。

俺たちの立派なリーダーさん。

■■■■■■■

夢を見ていた。

なぜか公園でシーソーに座っていた。

正面に座るのはゆりっぺだ。宙に浮いている。

ふたりの間には微妙な距離がある。

俺は手を伸ばしたが、それは届かない。

まあ、シーソーとはそういうもんだ。

早く蹴りなさいよ、とゆりっぺがいつもの調子で言った。

地面を蹴ると、俺は浮き上がり、ゆりっぺが地上に降りた。

今度はゆりっぺが地面を蹴る。上下が入れ替わる。

そうそう、楽しいでしょ？　とゆりっぺは訊いてきた。

おまえは誰に言ってるんだ？　もう俺、高校生だぜ？

だが俺の声は聞こえていないようだ。

ぎー、ばったん。ぎー、ばったん。

シーソーは続いていく。

え？　あたし？

俺は何も訊いていない。

でも、ゆりっぺは続ける。

みんなが楽しそうだったら、それでいいのよ。

あたしは他には何もいらないわ。それだけで十分幸せなのよ。

実にゆりっぺらしい顔で、笑った。

ああ、今気づいた。

それがこいつを突き動かす、唯一で、そして、すべてなのか。

なら、俺が笑わなければ。


今、すぐそばにいる俺が笑わなければ。

こいつは幸せになれない。

俺はシーソーの細い板の上に立った。

ゆりっぺがぽかんと口を開いていた。

今、行くから。

駆けつけて、笑ってみせるから。

地面は消えていた。今やシーソーは生死を賭《か》けたタイトロープと化していた。

迷いなくその上を走った。

驚きに目を見開くゆりっぺの手を……


掴《つか》んでいた、ゆりっぺの手を。確かにこの手で。

「ゆりっぺ……」

声も出た。

「あなた……どうして？」

「泣くな、ゆりっぺ。長い道のりだぜ。笑っていこうじゃねーか」

「なんなの……こんな状況で笑えるわけないじゃない……」

「そうか？　じゃあひとりで笑うぜ。あっはっはっは！」

「バカみたい……でも、おかしい……あはは……」

笑ってくれた。

「ほんとあなた、バカよ」

「だから仲間にしたんだろ？」

「そーかもね」

四肢《しし》に力を込める。

立てる。

立ち上がる。

「あなた、なんなの？」

「本気を出す」

「そんな……動けるの!?」

……ああ、不思議なことにな。

だが、敵はどこにいる？

暗闇の中、さっぱりわからない。

精神を研《と》ぎ澄《す》ませ。

探れ、その位置を。

とすっ。

胸をひと突きにされていた。

すぐ目の前にいたのだ。

鼓動《こどう》が爆発した。

全身を引き裂かれたかのような激痛が隅々まで隈無く走る。

その刃に俺は手を伸ばしていた。触れていた。

握っていた。

引き抜かれる、その瞬間。

その先目掛けて、地面を蹴っていた。

刃を離すな！

この先に相手はいる！

刹那《せつな》の世界を駆け抜けた。

ついにその体に追いつけた。捕まえた。

もう放しやしねぇ。

全体重をかけ、押し倒した。

すぐその首に肘を乗せる。

腹まで割かれていたのか、どさぁと中身が落ちる。なんてスプラッター。

気を失うより早く、てめぇを落とす。

頸動脈《けいどうみゃく》に当てた肘に、全体重を押しつけた。


また夢を見ていた。

同じ公園で、今度は、名前は知らないが、巨大な地球儀の骨組みのようなぐるぐる回る遊具に乗っていた。

反対側にはゆりっぺ。もちろん、手を伸ばしても届かない。

まあ、そういう乗り物だ。

さあ、行くわよ、と言って、ゆりっぺが地面を蹴った。

ぐるぐると回りだす。

ゆりっぺの髪が風に舞う。綺麗《きれい》だ。そもそもゆりっぺが綺麗なんだから、それも綺麗なのは当然なんだ。

楽しいでしょ？　ゆりっぺが訊く。

でしょ。とひとり納得している。

俺は何も答えていない。

ゆりっぺ、どうしておまえはいつもひとりなんだ？

その姿を見ていると寂しくなる。

俺が笑ってやるよ。隣で。

鉄の骨組みを掴んで、近づいていく。遠心力で外に振られるが、必死にしがみついて進む。

ゆりっぺがそれをぽかんと口を開けて見ていた。

もう少し。後一歩。

隣に並んで、にっと笑ってみせると……。

遊具は根本からぽきっと折れ、俺たちは地面の消えた世界をどこまでも転がり落ちていった。


目覚める。

人の声がする。

チャーと大山、そして野田。

やっと来たのか、てめーら。おせーぞ。

体を起こす。動ける。

どれぐらい気を失っていたのだろう。

腹を触ってみる。

何事もなかったかのように傷は治っている。ということは、それなりに長い時間だ。

でも、あの時は、ほとんど時間もかからずに動けたぞ？

あの瞬間、一体俺の身に何が起きていたというんだ。

そんなことより訊かなければいけない謎がたくさんある、か……。

「どうだ、何かわかったか」

大山たちのそばまで寄っていって、そう訊いた。

「ああっ、日向くんっ、起きたんだね、よかった、体はもう大丈夫？」

「ああ、なんとかな。で、その女は天使の仲間だったのか」

「いや、残念ながら普通の人のようだ」

しゃがんで、背中をこっちに向けたままチャーが答える。

「おいおい、あれだけの戦闘能力で普通なわけないだろう」

「確かに。そういう意味では異常だ」

「どっちなんだよ……」

ライトで照らし出された先を覗く。

女は縄で縛られていた。マントははだけ、そこから伸びる四肢は白く、か細い。こんな体であれだけの攻撃を仕掛けてきたのか……。

もしこいつが普通の人だっていうんなら、どんな鍛え方をしているんだ……。

「まだ真のボスは別にいるってわけだな。次こそ俺が倒す」

野田が片手で得物をぶぅんと振るう。

「まあ、待て、そう先走るな。先に訊くことがある」

俺は野田に詰め寄る。

「おまえはどうして逃げた。仲間になったはずだろ？」

「逃げてなどいない」

「嘘つけ」

「こいつの嘘のせいだ」

その獲物の先をチャーの後頭部に突きつけた。

「ゆりっぺが、こいつの嫁だって、あれか」

「ああ。ならここの主人公はそいつで……俺の居場所はここではない。別のところにあると思ったんだ」

「おまえ、まだゲームだと思ってんのかよ」

-Track ZERO-

「そんなのは勝手だろう。荒唐無稽《こうとうむけい》さで言えば、死後の世界だって同じだ」

「で、その誤解が解けたから戻ってきたってわけか」

「そうだ」

「おまえは何がしたいんだ」

「ふん……戦いだ」

また獲物をぶんぶんと振るい始める。

「どうして？」

わけがわからない。

「おまえは、女を見る目がないようだな」

茶化すようにチャー。それは俺に向けてのものだった。

なんだ？　ゆりっぺが目的なのか？

どうしたら、ゆりっぺがそんな対象になるんだ？

他に女がいないからか？

謎だ……。

ゆりっぺよ、もしかして、おまえはもてるのか？

確かに、出会った時は美少女に見えていたような気もする。

でも、俺はもう、おまえをそんな目では見れないんだ。

今も、どうして、この輪の中にいない？

「安心しろ。俺にはもっといい女がいる」

「そうそう。ゆりっぺは誰のものでもないよ」

「取り合いをしているわけではない！」

みんなの声が……喧騒《けんそう》が遠ざかっていく。

気づくと俺は、ゆりっぺの光を目指してひとり歩き始めていた。

シーソーの夢を思い出す。どうしてそんな微妙な距離を置く？

回る遊具の夢を思い出す。どうして離れて人が楽しんでいるのを見ている？

もう地面は消えやしない。

すぐ触れる距離に辿り着いていた。

「武器がある……ここはいわば武器の製造工場だったのね……」

そんなことをひとり呟いていた。

そんなことはどーでもいい。

俺はポケットを確かめる。

無事だろうか。

それを取り出す。預かっていた風車だ。

受け取った時の形のままだ。

ああ、そうか。

ひとつ謎が解けた。

これには死なない願《がん》がかけてあったのだ。

いわば、復活のポーションだ。

中身を使いきった後でも、玩具《がんぐ》としての機能は果たしてくれるだろうか。

ふーっと、吹いてみる。

からからから、とそれは音を立てて回った。

「うわっ、あなたいつからいたの⁉」

ライトがこちらに向いていた。目が潰れそうだから、そんな近くで浴びせないでくれ。

「あら、風車」

「そうだ、風車だ。ふーっ」

からからから。

それを見てるとなんだか笑えてきた。

「何っ、こわっ、あんた歳いくつよっ、ぶっ刺されたショックで幼児返りでもした⁉」

「あまのじゃくな奴だな、おまえは」

「なんの話よ？」

俺の夢の話だ。

「おまえも、吹けよ」

「なんでよ、こんな時に。それより、これ見なさいよ。野田くんの武器もここにあったのよ」

「吹けって」

「はぁ？　あなた頭大丈夫？」

「大丈夫だから。吹けって」

「吹けばいいの？」

「ああ」

ふーっ。羽がからからと回る。

「もう一回」

ふーっ。

手の甲にゆりっぺの息がかかってこそばゆい。

「これってなんなの？　何かの儀式？」

「楽しいだろ？」

「楽しいけど」

「よし」

「あなた、怖いわ……」

「素直に楽しんでくれよ」

「楽しんでるわよっ、ぶーっ！」

「こらこら唾を飛ばすな」

「あんたが吹けってんじゃないっ、ぶぶぶーっ！」

「ぶぶぶーって、おまえな……」

交互に吹いては回し合う。

俺は隣で笑っていられている。

一緒に笑っていられている。

よかった。

こんな世界でも、せめても。

「今度はさ、ブランコ作ってくれよ、ふーっ」

「それで神に勝てるってならねっ、ぶぶぶぶ――っ！　おえぇっ」

「強く吹きすぎてえづくなよ……」

「ねぇ、いい雰囲気のところ悪いんだけどさ……」

後ろから大山の声。

「そんな雰囲気では決してないけど、何か？」

胸を張ってリーダー然と振り返るゆりっぺ。

どーでもいいが、俺の手の甲はおまえの唾でべたべたただ。

「野田くんがまた逃げた」

「ええっ⁉　なんでよっ、わけわかんないっ」

「ごめん、さらにわけわかんなくさせるけど、いい？」

よくない。

「それをチャーが追いかけていったんだけど、その間に女の人もいなくなったんだ」

「はぁ……？」

「大山、おまえは何をやっていた」

「荷物番。ここで食料を奪われたら大変だからね」

「大殊勲《だいしゅくん》だな」

「ははっ、そうかな」

ばきぃ！

ゆりっぺに殴られていた。

「探すわよっ」

「何を⁉　野田くんを？　チャーを？　女の人を？　それとも神様？」

「ぜんぶよ、ぜんぶっ、ぜ――――――んぶっ‼」

ライトを振り回しながら暴君は仰る。

「三歩進んで二歩下がるって歌あったよな」

俺はそう大山にぼやいていた。

「ああ、あるね」

「そんな気分だ」

「また三人に戻っちゃったからね」

「あれ、歌詞の最後ってなんだっけ」

「ええと……休まないで歩け？」

ああ……まさにそんな気分だ。

強制労働者のような。

# 第7話 開戦前夜

「あの女も逃げたってことはまた間違いなく戦いになるわ。なので……」

落ち着きを取り戻したゆりっぺは、改めてライトを壁に向けた。

「それぞれ、好きな武器を選んで。この中から」

そこには無数の得物が立てかけて並べてあった。

それはまるでＲＰＧの武器選択画面。恐ろしくでかい両刃の剣だったり、先が三又に分かれている鉾だったり、美しく弧を描く日本刀であったり。

世界各地の戦いの歴史を見るようでもあった。

「僕は賢者だから、ロッドかな」

大山が杖のようなものに手を伸ばそうとするが、横から禍々《まがまが》しいものが差し出されていた。

「そんな生易しいのは持たせないわ。あなたはこれを持ちなさい。モーニングスター」

それは棘《とげ》が飛び出た鉄玉が、取っ手から鎖で繋がれている武器だった。

「こんなの持てないよ！」

「持つのよ。これであの女の頭をかち割ってやりなさい」

「なんてバイオレンス‼」

あの女の脅威は距離を詰めてくる速さだ。

俺が手に取ったのは、三メートルには達する槍。

「スピアか。牽制《けんせい》にはもってこい、確かにそれは有効そうね」

「使いこなせる自信はねぇが……で、おまえは何を持つ？」

「あたし？　あたしはねぇ……」

ゆりっぺが取り上げたのはいたってシンプルな洋風の剣だった。

「おまえだけなんでそんなふつーなんだよ」

さらにもう一本の手に、日本刀を握ってみせた。

「何か？」

「いえ、十分です」

「ゆりっぺ、二刀流なんてできるの？」

大山が訊く。

「あたしのイメージではできるわ」

「そりゃ完璧だ」

「ええっ、そんなのでできることになるの⁉」

「じゃ、行くわよ。大山くんはライトをお願い」

俺たちは縦に並んで来た道を辿っていく。

ゆりっぺが二本の剣を構えて先頭を行く。続いて大山がその行く先をライトで照らしながらついていく。俺は一番後ろで、ふたりの背を守る。ゆりっぺが考え出した陣形だった。

「いい？　これからの目的はあの女に勝つことじゃない。地上まで逃げきること。それを忘れないで」

「現れなければそれにこしたことはないってことだね。あ、現れませんように！」

まるで、本当にＲＰＧのダンジョン探索だ。

ひゅん、と風を切る音がした。

直後、かぃん！　という鈍い金属音と共に信じられない光景が大山のライトにより照らし出されていた。

目の前でゆりっぺとあの女がつばぜり合いをしていたのだ。

「うわあ！」

大山の持つライトが震える。

ぎりぎりぎりと、お互いの刃を相手の刃に押しつけ合っていた。

驚いてる場合じゃない、これはチャンスだ。

俺はスピアを構え、大山の脇をすり抜けて突進した。

「……⁉」

ゆりっぺの相手をしながら、それに相手は気づいてみせた。

そいつは、地面を蹴り、後ろに跳んだ。

そのまま闇の中に紛れる。

なんて反応力、そして跳躍力だ……。

「大山くん、探して！」

「う、うんっ！」

ライトをかざし、奥を照らし出す。右に左に、上に下にと光を向ける。

「いないよ……」

じゃり、と音が背後でした。

馬鹿な！

振り返り、闇雲《やみくも》に槍を突き出す。

女は闇に消えていく。

異常な緊張感が場を支配する。スピアの柄を握る手が一気に汗ばむ。

次は大山狙いだった。

その脇から幽霊のように現れた。

「頭、かち割れ！」

「うんっ、ってぎゃあ！」

モーニングスターを思い切り振りかぶったところで、自分の背中に鉄球の棘を突き刺し自爆していた！

俺とゆりっぺが間に入り、再び闇へと追い払う。

「走るわよ！」

ゆりっぺが駆けた。

「痛いよ……痛い……」

武器を捨てて、ライトだけ持って大山も必死に走る。

俺も後ろ向きに矛先で威嚇《いかく》をしながら、続いた。

ようやく梯子《はしご》まで辿り着く。

「先に上れ！」

俺は闇を見据えたまま、そう促した。

ふたりが、上っていったのを確認した後、一気に駆け上が

-Track ZERO-

る。

「もう休んでいる暇などないわ」

すぐさまゆりっぺが駆けだす。

「ぎゃあ！」

大山の悲鳴。

ライトが地面に転がり落ち、先が見えなくなる。

ゆりっぺと俺が大山に背を向け囲う。

「大山、大丈夫か!?」

「う、腕があぁぁ……」

「切り落とされてようが、片手は無事でしょ？　すぐ拾って！」

「そんなあ！」

「ライトを失ったら、あたしたちはおしまいなのよ!?」

女の姿を矛先で追った。

長い得物を選んだのは正解だったようだ。距離を縮められないでいる。

と、女が足を止め、その手を振った。

何かが風を切る。

かしぃん！

音を立てて転がるのは、女が投擲《とうてき》した小刀。

ゆりっぺが俺を両刀で守ってくれていた。

こいつもなんてスペックだ……。

「……!?」

相手にも一瞬の動揺。

この隙を見逃すわけにはいかない。

ゆりっぺが退くと入れ替わりに、俺は突っ込んでいった。

届く！

スピアを握る腕を伸ばした。ほんの少しだけ、肉を突いた手応えがあった。

だが、もうその姿はない。本当に、瞬間移動のような速さだ……。

「いくわよ！」

すぐゆりっぺは身を翻《ひるがえ》していた。

■ ■ ■ ■ ■ ■ ■

闇から襲われるたび、ゆりっぺと俺が協力して、追い払う。

驚くべきは、ゆりっぺの身体能力の高さだ。

ゆりっぺがいなければ、俺は投擲《とうてき》された飛び道具の餌食になるか、簡単に懐に入られ、胸を裂かれていただろう。

今もこうして俺たちが立っていられてるのは、そのゆりっぺと、懐に入らせない俺のスピアによる牽制、その連携のなせるわざだ。

すでに負傷している大山を守り続けた。大山も死にもの狂いで行く先をライトで照らし出す。

一時も気の緩みを許されない緊迫した移動が何時間も続く。体力はもちろん、精神も疲弊してくる。何度も諦めそうになる。逃げ切れない。いっそ力を抜いて、ぶっ倒れたくなる。

その度、ゆりっぺの叱咤が聞こえてきた。

その毒舌だけが、深い霧から意識を呼び覚ましてくれた。

■ ■ ■ ■ ■ ■ ■

唐突に光に迎えられた。目が痛い。

夢中で、あの見張り部屋をくぐり抜けていたのだ。

俺たちは森の中にいた。

木々の間から覗《のぞ》く太陽は、ちょうどてっぺんにあった。真っ昼間か。どれだけ潜っていたんだ……。

三人は息を切らせながら、それでも俺とゆりっぺは油断することなく周りを気にしながら、武器を構えたままでいた。

見れば、ゆりっぺの制服はずたずたに切り裂かれていた。

こんなになるまで先頭に立ち続け俺たちを守ってくれたのか……。

「一気に駆け降りるわよ！」

ゆりっぺが告げた。

頷《うなず》く俺たち。

懐かしささえ覚える、校舎へと向けて坂を駆け下りた。

「やった……生きて帰ってこられた！」

学習棟に辿り着くなり、大山はその場に倒れ込む。

「腕はどうだ」

「ある……なんとかくっついてた……」

片腕を持ち上げてみせた。その袖口は裂かれ、血に染まっていた。

「よくやったわ……照明係」

ゆりっぺも、もう体力の限界なのか、酷使し続けてきた二本の刀を地面に投げ捨て立ち尽くしていた。

「まあ、これであの闇の中に閉じ込められるってことはなくなったが……」

「だよね。ここまで来ればもう安全だ」

「……あさはかなり」

寒気が走った。

俺たちは見上げる。

校舎に続く、階段の上、逆光の中にそいつは立っていた。

「ほんっっと、しつこいわねっ……」

ゆりっぺがそれを睨《にら》みつける。

まだ戦わなくてはならないのか……。

なら、俺が守らなければ……。

ゆりっぺはもうボロボロだ……。

女が跳んだ。

もはや帯刀していない棒立ちのゆりっぺに向けて。

なんて無慈悲《むじひ》な。

俺は、呆然とそれを……

かぃん！

刃が交錯《こうさく》する音。直後、信じられないことに女が地面を転

がっていた。

俺たちと女の間に……天使が立っていた。

ハンドソニックを携え。

「ふっ……行くわよ、日向くん、大山くん」

「……え？」


確かに、今、ゆりっぺは笑った。

ボロボロな姿で笑ってみせたのだ。

これも計算していたというのか……？

ここまで来れば天使が現れると、そして丸腰なら守ってくれると……。


「えっ、どういうこと⁉」

「いいから立てよっ。俺たちはこの隙にチャーと野田を探す、そういうことだっ」

俺は未だ混乱の渦中にある大山の手を掴《つか》み、引っ張り上げる。

すぐさま、刃が激しく交わり合う斬撃音が鳴り渡る。天使と女の戦いが始まったのだ。

「いいことを思いついたのっ」

走りながら、先を行くゆりっぺが話しかけてくる。

見ろ。体力だって残ってやがる。疲れ果てた演技をしてやがったんだ。天使の同情を買うため。

「なんだよっ⁉」

「神への復讐を目的とした戦線を立ち上げるわ」

「戦線⁉　なんだよ、それっ」

「戦う組織よ」

「誰が入るんだよ、んなものにっ」

「あなたに大山くんに、チャーに野田くん。これはもう十分に組織と呼べるわ。そして、きっとこれからもっと増える。いや、増やすわ」

きっとこいつがそう言うんなら、そうなるんだろう。そんな気がしてしまう。

そうだ。それがゆりっぺだ。でなければゆりっぺではないし、俺もすでにその中に混ざっていることにこんなやりきれない感覚を覚えたりはしないのだ。

まったくなんてこった。

「大山くんもいいわよねっ？」

「入らないと、ひとりきりになっちゃうってことだよね⁉」

「そうね」

「なら、入るよ、うんっ」

「あとな、大山！　もうライトで足下を照らす必要はないからな！」

「うわぁ、そうだった‼」

ようやく気づいて、それを投げ出す。

「本当におまえは物書き志望が……」

「それは聞き飽きたよっ！」


地下への入り口の目印である大木の前まで戻ってくると、

野田が、草の上でうつ伏せになって伸びていた。チャーが捕まえて気絶させてから、地上まで担ぎ上げてきたという。

「弱すぎるわ……」

「いや、こいつが強すぎるんだと思うぜ？」

改めて見ると、チャーのがたいの良さは脅威だ。

「それよりも、聞いて、チャー」

「また面白そうなことでも思いついた顔だな」

「そうね。とても有意義なことよ。死んだ世界戦線という組織を立ち上げたの」

もう立ち上がっていたのか。そしてその名前はなんだ。もっとよく考えろ。少しは捻《ひね》れ。

「ほう、なんのために？」

「もちろん理不尽な人生を強いた神に復讐するためよ。そのためにはひとりでは無理。同じ意志を持った仲間たちの力が必要となるの。だから、立ち上げたの」

「入れてくれるのか？」

「すでに入ってたぜ。そこで伸びてる奴も一緒に」

「そうか。おい、起きろ」

チャーの足で仰向きに裏返される野田。とても哀れだ。

「う……ここは、どこだ……」

呻《うめ》くように訊いた。

「死んだ世界よ」

ゆりっぺがそれを見下ろし答える。

「まだ終わらないのか……」

「これから始まるのよ」

「何が……」

「死んだ世界戦線の戦いが」

「それはなんだ？」

「神に抗う組織よ。あなたはもうそのメンバーなの。弱いけど」

「弱くはない！ そいつが卑怯なだけだ！」

がばりと上体を起こすと、チャーを指さした。確かにこいつは勝つためならなんでもしそうだ。

くくく、とだけ笑うチャー。おまえが戦線最強のエースだ。間違いない。

「でも、どうして、野田くんは逃げたりしたの？」

大山が的確に自分のキャラを把握した疑問を投げかけた。

「今度はおまえたちふたりができていると勘違いしたらしい」

とチャー。

おまえたちって？ とゆりっぺと俺が顔を見合わせる。

「そう、おまえたちだ」

「はあぁぁぁぁぁ⁉ できてるわけないでしょっ、どうしたらそう見えるのよっ！ わけがわからないわっ！」

「まったくだっ！」

俺たちは猛抗議する。

「でも、あの時のふたりはちょっといい感じだったから、そう見えるのも無理ないよ」

「大山まで何言ってんだよっ、混乱の状態異常か⁉ 頭から回復ポーションぶっかけてやろうか⁉ そんなもんねぇからラーメンのとりがらスープだけどな！」

「いやいやっ、やめてよっ」

「でも、どうしてそれで逃げるの？」

「愚問だな」

「何よ、どういうことよっ」

チャーに噛みつくゆりっぺ。対するチャーはまた含み笑いを漏らすだけだった。

「いいだろう……」

いつの間にか野田は斜《なな》めに構えて立ち、風に吹かれていた。

「この野田、おまえの剣となろう」

どこか遠くを見つめたまま言った。

こいつは馬鹿だ……。三人の思いは今、そうひとつに重なっているはずだ。

「ちなみにこれから対する相手はおまえが逃げ出してきた、地下のラスボスだぞ」

「……っ⁉」

ぴくっと頬《ほほ》が痙攣《けいれん》したように震えた。

「にょ、望むところだ……」

「噛んだ」

「噛んだな」

こうして、見事に戦線は立ち上がったのだった。

---

ゆりっぺ、大山、チャー、野田、と五人は、校舎の影に潜んでいた。

グラウンドでは天使と女が互いの武器を交えて、けたたましい前衛的な演奏を披露していた。

「なんだ、もうひとりの女は……刃が腕から生えている？」

目を見張る野田。そうか、こいつは初めて見るのか。

「天使よ」

「天使だと？ 馬鹿な……」

「この世界には存在するのよ」

それだけで納得しろというのも無茶な話だが、ゆりっぺはそれどころじゃない。

「なんて戦いよ……」

指を噛んで、戦いに見入っていた。

女が天使の懐に飛び込もうとする。天使がハンドソニックを振り回す。それを剣でいなそうとするも、力を完全には吸収しきれず、数歩下がってしまう。そのつかず離れずの攻防が繰り返されていた。

「力は天使、速さではあの女。どちらも圧倒的だからこそ、奇跡的に均衡《きんこう》している」

ゆりっぺはそう分析してみせた。

「となると、後は体力勝負だな。どちらが先に息が切れるか、消耗戦だな」

チャーが顎《あご》をさする。そこに髭が蓄えられていたらさぞや貫禄のあるキャラになるだろう。

「けど、かたや天使、かたやラスボスだぞ？　体力など無尽蔵じゃないのか……？」

野田の意見はもっともだ。

しかし、こうして隠れて密談をしているのは実に組織っぽい。

「もう僕ら人間には手の届かない争いになってるんだよ……もうこうして見守っているしかないんだよ……」

「そーはいかないわ」

我らが姫君は手をぐーにして言う。

「我らが戦線がとどめを刺した時、彼女は我が軍門に下るのよ」

「そうは言うがさ、手はあんのかよ？　って、それを考えるのが俺たちってわけか」

「大丈夫よ、今回あなたは実行部隊だから」

いつの間にそんな部隊分けが!?

「参謀役はもちろんリーダーのあたし。みんな、あたしの言う通り動いてね」

ゆりっぺが唯我独尊《ゆいがどくそん》の表情で見回すも、異を唱える者はいない。なぜ？　ホワーイ？　嫌な予感がするのは俺ひとりだけなのか？

「チャーと野田くんは、天使に加勢して」

「やっちまっていいのか？」

「ダメ。そもそもあなたたちが加勢したところで天使の足を引っ張るだけよ」

「この俺をみくびるんじゃない、ゆりっぺ」

いつの間にか、野田が武器を肩に担いで、ハルバートの製品説明のモデルのような立ち姿で居た。

自分をアピールしているようだが……その相手は、ゆりっぺなのだ。おまえはゆりっぺのどこに惚れたというんだ？　こんな女らしさの微塵《みじん》も感じさせないような奴を……？　どこに魅力を感じるんだ？　教えてくれ。

「あら、いいわねぇ、その意気よ。その調子でチャーと天使と一緒に校舎の壁際まであの女を追い込むのよ」

「ふむ、了解」

チャーの肩からは、大山が落としたはずのモーニングスターがぶら下がっていた。こいつが持つとシャレにならない。今にもバーサークして、敵味方関係なく片っ端から血祭りにあげていきそうなぐらい物騒だ。

「ぼ、僕は？」

そんなふたりを前に、恐る恐る役目を訊く大山。

「大山くんは離れた場所に立って、合図してくれるだけでいいのよ。あの女が壁際に追い込まれたと同時に手を挙げて。ただ、校舎に対してエックス座標だけは女に合わせておいて。あなたがあたしたちに見える唯一の目印なのよ」

「え……日向くんとゆりっぺはどこ行くの？」

「物語のクライマックスはその始まりへと帰結する。美しいと思わない？」

ゆりっぺはぞっとするような、悪魔の笑みで俺を振り返った。

屋上にいた。

もちろんフェンスを乗り越えて。

俺の手には、ゆりから渡された一本の両刀。ＲＰＧでいうところのブロードソードってやつだ。

微《わず》かに風が吹いていた。もっと強く吹いてくれないと、首筋を流れ続ける嫌な汗は乾いちゃくれねぇ……。

「すでに懐かしいわ……そう思わない？」

「定期的に訪れてる気がするが……そして、定期的に」

「空を飛ぼうと試みるのね」

「おまえに蹴落とされてんだよっ！　誰が、んなとち狂った真似するかよっ！」

「いい威勢ね。頼もしい限りだわ」

「おまえがやれよっ！」

「あなた、こんなことまで女にさせるの？」

「そもそも無茶なんだよっ！　こんなこと誰にもできねぇよっ！」

剣を落としそうになりながら、懸命に訴える。

でも、ゆりっぺは涼しげな顔で――風に髪をわずかにたなびかせ、初めて会った時のような美しさで言う。

「あたしには無理よ。だって、こんな高さから落ちたことないもの」

「俺だって」

ねーよ！　と言おうとして、絶句した。

ある……。

俺は落ちたことがある……。

「なんべん試させてやったっていうのよ。もう、最後の着地点までその目ん玉見開いていられるでしょ？」

お化けだ……。

心霊現象だ……。

ここは心霊スポットに違いない……。

今、ゆりっぺという幽霊に俺は睨まれている……。

で、なければ、こんな寒気が走ることなんて、人生なかった……。

いや、その人生はすでに終わっていやがるんだ……。

なら、俺も対等な存在で……。

こいつはマジで言っている……。

まさか、そんなことまで計算ずくだったというのか……？

俺がここから目ん玉ひんむいて地上に降り立つ必要が日が来ることを？

違う！　こいつは行きあたりばったりで、結果がついてきているだけだ！

そんな振り回されるだけの道具になんて俺はならないぞ！

なってたまるか！

「オンユアマーク……」

不気味な呪文をゆりっぺは唱えた。

「待てよ、な……」

はるか眼下を見渡すと、グラウンドの中心で手を左右に大きく振る大山の姿。

「待たない。ゴ！」

蹴られた！

足場がなくなり、重力によって叩き落とされる！　屋上、十五メートルの高さから地面へ一直線に。

目を見張っていた。

着地点へ向けて。

そこには壁際に追い込まれた女の背。

俺は握っていた剣を最後まで放さずにいた。

たった。

たった、それだけのことだった。


ずばしゅううううううううう――――――――！


圧倒的な闇討ちにより……俺は女を一刀両断にしていた。

もちろん俺だって無事じゃない。全身強打だ。

でも、勝ち名乗りを言わなくちゃな……。

意識のあるうちに……。

それがこの作戦だ……。

あの出会いの日から始まっていた、死んだ世界戦線、初めてのオペレーション……。

果たさなくちゃな……。

視界は揺らぎっぱなしだ。やがてそれは暗くなっていく……。

「おい、女……俺の……勝ちだ……」

よくやった、俺。

シャットダウン。

■■■■■■

「あなたはどうしてあんなところに居たの？」

ゆりっぺの声だ。

ここはどこだ……？

真っ白い天井。

また保健室……。結局ここに舞い戻ってくるんだな……。

本当に始まりへと帰ってきたようだ。

違う点は、ひとつだけ。死んだ世界戦線が立ち上がっている。

なるほど。そのための、物語だったのか。

怪我は癒えたようで、もうどこも痛くない。動ける。相変わらずすげーぜ、この世界。

体を起こすと隣のベッドにはあの女が全身を包帯で覆われた姿になって横たわり、ゆりっぺたち戦線のメンバーに取り囲まれていた。

天使の姿はもうなかった。

「その戦闘力をどのようにして身につけたの？」

「……」

女は俺よりよっぽど深手だったのか、まだ身動きできないでいる。そこへ質問を浴びせかけ、尋問しているようだが……。

「何か喋ったか？」

俺は影が薄くて哀れな大山に訊いた。

「ああ、日向くん、起きたんだね。よかった！　すごい一撃だったね！」

「思い出させるな。俺にしてみれば事故、いや事件だ。で、何かわかったのか」

「それがね、何も話してくれないんだよ」

「吐かせるか？」

チャーがちらりとゆりっぺを見たが、そのゆりっぺは首を横に振った。

「すでに瀕死《ひんし》じゃない。ねぇ、ここって死後の世界なのよ」

女と顔を突き合わせる。

「ええ、あなたが思ってることはよくわかるわ。だから、神への復讐を目的とした、我らが死んだ世界戦線の一員となって、存分にその力を振るって」

んな簡単な話があるかよ……。

こくり。

女は頷いていた！

「待て、こんな正体不明な奴を何も訊かずに仲間にしていいのか⁉」

野田が俺の思いを代弁してくれた。

「過去のことは問わない。それが我が戦線のルールよ」

闇の組織かっ。

「そうだね、僕の過去も誰にも話してない」

そうだ、大山！　女のほうも気になるが、おまえの背負ってる過去も無茶苦茶気になるぞ！

「この運命を強いた神に復讐する、その意志を知れば十分」

確かに。俺の過去だって誰にも話してないしな……。

大した過去でもないが、それでも今は封印しておきたい。いつか、心を許せるような奴が現れれば話してみてもいい。まあ、言ってしまえばその程度の過去だ。

「敵を間違えちゃダメよ？　敵はただひとり、あの腕から刃を生やすこの死後の学園の生徒会長、天使よ」

「……」

ゆりっぺの声は女に届いているのだろうか。目は天井を見つめたまま、まばたきもしないでいる。

「少し……ゆっくりしたいな……」

唇を僅《わず》かに動かし、乾いた声をこぼした。

「ゆっくり？　そりゃ、大怪我してるんだもん。休みなさいよ。もうあたしたちは味方なんだし、あの天使が襲ってこようがあなたを守るわ」

その言葉に女はぽかんとした顔をした。

「……なぜ？」

そう訊いた。本当に不思議そうに。

「さっき言ったじゃない。あなたももう、あたしたち戦線のメンバーなの。大事な仲間だからよ」

「仲間……仲間とはそういうものなのか……？」

「あら。初めて知ったみたいな顔ね」

「ありがたい……そうしてくれると助かる……疲れているんだ……少し休む……」

「その前に名前を……って、ありゃ」

一瞬で眠りに落ちていた。すでにすーすーと寝息を立てている。

「俺なんかよりよっぽど希有《けう》な人生を送ってきたようだな」

とのんきにチャー。

稀有なおまえの人生よりさらに稀有だなんて、天文学的な希有さだな。そんな人生、想像もつかねーぜ。

けど、さっきのこの女とゆりっぺとのやりとり、そして今眼下に晒《さら》されている無防備な寝顔を見て、俺はなぜかこいつを信じられる気分になっていた。

あれだけ壮絶な殺し合いのような真似事を繰り広げたのに……。

なんだこの、平穏な空気は。

あの異常なまでの殺意はゆりっぺが霧散《むさん》させてしまったのだ。

そのゆりっぺに目を移す。

なあ、ゆりっぺ、おまえはやはりすごいのか？　こんな化け物のような強さを誇る強敵までも仲間にして束ねていく資質を持っているのか？

華奢《きゃしゃ》な体で、学年にはひとりぐらい居そうなわりかし美人めの女の子。

いや、見た目じゃないんだ。

その胸の奥底には、凄まじい執念が宿っているのだ。

それがすべてを結果オーライに変えてしまう、奇跡の力の源になっているんだ。

なら、ゆりっぺ。おまえはどれだけ神を憎んでるんだ？

どれだけ悲惨な人生を送ってきたんだ？

「まず本部を作らなきゃね」

腕を組み、次の野心を滾《たぎ》らせていた。

「寮の部屋じゃダメなの？」

大山が訊く。

「狭いじゃない。これから戦線メンバーはどんどん増えていくのよ？　それに居心地がいいのがいいわ。リーダーであるあたしは、じっくりと作戦を練り、指示が出せるように座り心地のいい席を希望するわ」

「となると、あそこしかないな」

チャーの言葉にゆりっぺが頷く。

「校長室」

ふたりの声が重なった。

「校長室？　校長先生はどうするのさ？」

いいぞ、大山。こういう誰もが最初に思いつく疑問をわざわざ口にして訊くのが、この戦線におけるおまえの重要な仕事だ。

「生き埋めにでもしよう」

「ええー！」

「そんな罪もない彼らを犠牲にするなんてダメよ。校長には職員室に席を用意してあげましょう」

「でも、そんなことして校長室を占拠しちゃったら天使は放っておかないよね？」

いいぞ、大山！　なんて的を射た質問だ！

「だから、校長室を天使も入ってこれないような安全地帯にするのよ」

「どうやって……？」

「例えば合い言葉。それを言わないまま天使がドアノブを回したとする」

「うん……すると？」

「どが――――ん‼　天使は木端《こっぱ》みじん」

「なんてバイオレンス！」

だから流行らせたいのか。

「ま、そこまではいかないにしても、ど――ん！　って天使を吹き飛ばすようなトラップを仕込めばいいのよ」

「それは俺の仕事というわけだな」

どう考えてもそうだ。力仕事はチャー、おまえの領分だ。

「いえ、あなたにはコレを作ってもらいたいのだけど」

ゆりっぺは握った右手の親指と人差し指を伸ばしてみせた。

「なるほど……了解。それは俺にしかできない」

「数を用意してほしいの。みんなが戦えるように。どうやら接近戦では天使にさえかなわないようだから」

なるほど。まさに戦線。神に戦いを挑もうとしているんだ、ゆりっぺは。

「なんだ？　なんなんだ？」

事の顛末を知らない野田だけが取り残されている。

「なので、校長室のトラップは野田くん、お願い」

「俺⁉」

「もう、ドアノブを回したらこいつが落ちてくる、でいいんじゃないか？」

チャーがそう野田を茶化す。

「貴様、どこまでこの俺を侮辱する気だあぁぁ⁉」

こんな狭い部屋でハルバートを振り回し始める。

「実際、奇襲攻撃ぐらいでないと、戦力にならんじゃないか」

「それはまだ俺がこの世界に現れて間もないレベル1だからだ。これから鍛えていく！　せやあぁぁ――‼」

「まあまあまあ……ってぎゃあ！」

なだめに入った大山が、ぶしゅっ！　と眉間を切られる。

不憫だ……。

そんな騒ぎの中、ゆりっぺが俺を見ていた。目が合ってぎょっとする。さすがに喋らなさすぎたか。

「何考えてんのよ。ずーっと黙って、不自然よ？　言いたいことがあったら言ったら？」

「いや、このへんで、『彼らの戦いはこれからも続いていく……』みたいに終わりにならないかなって」

「なんでそんな打ち切り漫画みたいにならなきゃならないのよ！　全部はこれからよ⁉　戦いは始まってすらいないわ。ほら、あんたと大山くんは職員室に校長先生の席を作りにいく！」

「だからだよ……。なんでそんなわけのわからない行動をとらなくちゃならないんだ。奇異の目で見られるぜ……」

「先生も人じゃないからいいじゃない」

「ああ……連中もNPCだったか」

「エヌピーシー？」

「ノンプレイヤーキャラクター。人の意思では動いてない連中のこと」

「いいわね、その総称。使わせてもらうわ。では、我が死んだ世界戦線、次なるオペレーションを告げるわ。NPCに迷惑をかけず、校長室を強奪せよ！」

「すでに矛盾してるぜ！」

「何か？」

「そんな満面の笑みで訊くなよ、嫌でもその矛盾に挑戦してみたくなるぜ」

「結構。では……」

すっと息を吸い込む。

-Track ZERO-

「オペレーション・スタ――――ト！」

ゆりっぺの大声が狭い保健室内に響き渡った。

なんてこった。これは夢に違いない。

夢なら終われ、終われ、終われ！

俺は心の中で繰り返していた。

「どうしたの、日向くん？」

でも……

「いや、めまいがしただけだ。大丈夫」

これは現実なんだ。

死んだ後の、現実なんだ。

矛盾も何もかも飲み込んだ最高のリアルなんだ。

「そう。よかった。でも、校長先生の席ってどうやって用意したらいいんだろう？　さっぱり想像もつかないや」

終わるどころか、始まったばかりなんだ。

この神への復讐を目的とした、戦線の物語は。

「大丈夫だ、あいつが考えついたことは、きっとどーにかなるんだよ。任せておけ」

「へぇ、なんだか頼もしいね」

俺はその戦いを最後まで見届ける。

時間が存在しないこの世界では、そんな日は永遠に来ないかもしれないけど……。

でもおまえがリーダーなんだもんな、ゆりっぺ。

どんなありえないことも起こしてしまうんだろうな。

「じゃあ、行くか、大山」

「うん！　何をどうすればいいのかさっぱりわからないけどね！」

# 番外編
# 月曜日の未明

まず何から記すべきか。

それはこのガールズデッドモンスター、略してガルデモのメンバーのことだろう。

ちなみにガールズデッドモンスターとはこの私、関根がベーシストとして所属するロックバンドである。

さらにちなむと、その名付け親はこの私である。バンドを組んだ当初、岩沢先輩とひさ子先輩があまりに厳しくて恐く、「こいつらは化け物だ……もう私に構わず逃げるんだ、みゆきちぃ……」と私がドラム担当の入江に訴えた文句に由来する。


ではメンバー紹介。一番目はひさ子先輩。

通称ひさ子先輩（そのまんまだね☆）。

ひさ子先輩はガルデモではリードギターを担当している。

だが裏の顔は賭博師《とばくし》である。

しかもいかさま師である。

以前、その技を垣間見《かいまみ》たことがある。

それは壮絶なものであった。

その日私は、みゆきちと遊んでいる最中にロッカーの中に隠れて、そのまま放置されたままでいたのだ。

-Track ZERO-

日も暮れてきたことだし、そろそろ出ようかという時、いきなり電灯が点き、奴らは「始めるぜ！」と言って、卓を囲み始め、私はその機会を逸したのだ。

でも、そこでまさか、ひさ子先輩の裏の顔を知ることになろうとは！

その時のメンバーは、藤巻先輩に、ＴＫ先輩に、大山先輩に、ひさ子先輩の四人だった。

じゃらじゃらと牌《はい》を掻《か》き回し始めた。

麻雀は基本、同一の二牌のトイツと、三牌の組み合わせによるメンツを四つ作ることを競って、得点を奪い合うゲームだ。

「リーチ」

そう言って、ひさ子先輩が千点棒を卓に投げる。これは残り一牌で手が完成しますよ、という状態だ。

「いっくぜぇ……通れっ！」

「ロン。一発、タンピン、おっと裏が乗って、満貫《まんがん》確定」

速攻である。

この時すでに私は気づいていました。ひさ子先輩の手牌が少ないことに。

本来十三枚なければならないのに、十枚しかない。

三枚を手の中に握り込み、メンツをひとつ減らすことで、手の完成を早くしているのだ。

「ちっ……ほらよっ」

藤巻先輩は馬鹿なので気づきません。大人しく点棒を支払います。

ひとつメンツを減らすことは、ものすごく効果的なのです。誰よりも手作りが早くなる。

「リーチ。はい、ロン。タンピン、裏が乗って、あー満貫」

「ファッ◯　ミー！」

ＴＫ先輩も基本馬鹿なので、気づきません。

しかも放送禁止用語を使うにしては、自虐的すぎます。

「リーチ」

ここで大山先輩がついに、ひさ子先輩の牙城を崩しにかかりました。

まだ三巡目。ひさ子先輩も手牌を十枚にしてもその早さには追いつけませんでした。

しかしここでひさ子先輩がとった行動は恐ろしいものでした。さらにもう一方の手の中に牌を三枚握り込み、手牌を七枚にまで減らしました。

つまり、メンツはふたつ。

「追いリー」

リーチ棒を投げます。

しかし明らかに不自然です。大山先輩の手牌の半分しかないのですから。

たまりかねてか、ついに大山先輩が口を開きました。

「それ……十三枚ある？」

「ある」

……えー!!

という大山先輩の心の声がこのロッカーの中まで聞こえてくるようでした（しかしここは卓上がよく見渡せるロケーションのいいロッカーだね☆）。

ですが、誰もひさ子先輩には逆らえないのか、大山先輩は黙り込み、牌を引きました。

「ツモれっ！　って、これは危険牌だぁ！」

リーチがかかってるので、捨てるしかありません。

「通れぇ！」

「通んない。ロン。リーチ一発、タンピン、チンイツ、ドラ二、あ、裏も乗って、えーといくつだ…十三翻か。数え役満だな」

「ひゅう、すげぇぜ、ひさ子……」

思わず感嘆《かんたん》の声を漏らす藤巻先輩。

「いやいや！　門前清一色《メンゼンチンイツ》だなんて！　そりゃ七枚だったら簡単に出来ちゃうよ!!」

「ちゃんと十三枚あったって。はい、次いくぞー」

すぐ牌をかき混ぜて煙に巻く。

「なんて恐ろしい人なんだ!!　くそぅ、じゃあ、僕だって！　リーチ！」

大山先輩も三枚の牌を手の中に握り込み、メンツのひとつ少ない十枚でのリーチで挑む。

「あれ？　大山、てめぇ、足んねぇじゃねぇか？」

藤巻先輩が目ざとく、牌を数え始める。

「ほら、少牌だ。てめぇは上がり放棄だかんな」

「そんなあ!!　なんで僕だけには言うのさ!!」

もう引いた牌を切るしかない大山先輩。

「ロン」

とひさ子先輩。

「え、誰が誰に？」

「あたしが、あんたにだよ」

ぱたっと、ひさ子先輩が牌を倒す。

東南西北白發中の字牌七枚。

「なにそれ…」

「国士無双《こくしむそう》十三面待ち、ダブル役満《やくまん》」

「七枚しかないのに十三面で待てるって矛盾してない!?」

「あーしかも字一色《ツーイーソー》だ。トリプル役満」

「えぇぇぇー!!」

「ひゅぅ……国士無双でしかも字一色だなんて、生まれて初めて見たぜ……」

「だって不可能だもん!!」

こうして大山先輩は箱を頭に四つ被ることになったのでした……。

「当面は回ってきた食券は無条件であたしに回しな」

「そんなぁ…」

冷酷無比《れいこくむひ》にして残忍。しかも傲慢《ごうまん》。そんな悪魔のようないかさま師が、ひさ子先輩なのだった。

次は、私とほぼ同時期にガルデモに加入したドラムの入江、通称みゆきち。みゆきちは、ひさ子先輩を悪魔だとしたなら、小悪魔といったところだ。

その小動物的な守ってあげたくなるキャラを狡猾《こうかつ》に利用して、一般生徒、通称NPCを色香に惑わせ、NPCは一体どこまでなら無茶をするかを調べている鬼畜な女だ。

「ねぇねぇねぇ、NPCのぉ、木下くんがあ、もう、あたしにめろんめろんなのねぇ。授業中もあたしと目が合うとさぁ、顔真っ赤しにしちゃってさあ……んもう、ばればれっつーか？」

まず自慢話から入る。

「昨日なんて、あたし、80年代のヤンキー風の人が好きって言ったらさあ、今朝見たら、大笑い。木下の奴さあ、ボンタン履いてきやがってさあ。上ブレザーなのに、下ボンタンなんだよ？　超うけるんですけどー」

NPC恐るべし。そもそもどうやってこの世界でボンタンを手に入れた。夜なべして作ったのか。

「で、クラスメイトにじろじろ見んじゃねーよ！　とか言ってんだけどさ、そりゃ見るよ、無理じゃね？　あははははっ。それであたしの気を引いてるつもりでいやがんの」

そして、こいつの畜生っぷりっと言ったら……。

私は友達でありながらも、内心引かざるをえない。

「でぇ、しおりんにそうだ～ん。木下の奴に、次何させようかな？　今ならなんでも言うこと聞くよ？」

「いやいや、みゆきち、もう十分だろ。そこまでさせたならモラルというものを思い出せ。おまえもかつては生きていたんだろ。

「でも、NPCの限界を知りたいわけじゃん？　死んだ世界戦線の諜報員《ちょうほういん》としてはさぁ？」

いつおまえが、戦線の諜報員になったんだ。そもそも死んだ世界戦線はあほの集まりだから、そんな賢い役員はいない。

「アフロなんてどう？　あたし、アフロが好きなんだ～って言ったら、絶対明日頭アフロにしてあいつ登校して来るよ？　これ超ウケるんじゃない？　考えただけでや・ば・い～☆」

「よしときなよー。すでにボンタン履いて浮いてんだから、それ以上浮いたら、ＮＰＣの範疇《はんちゅう》越えちゃうよ？」

「だからその限界を試してみてるんだってば。よぉーし、明日からはアフロだぞ、木下くん！」

翌日。

「やべーよっ、木下!!」

みゆきちは笑いを押し堪えて、空き教室でひとりベースの練習を黙々としていた私の元へやってきた。

「マジ、アフロで来やがった!!　つか、この学校の床屋、そんなテク持ってるのか！　無駄すぎる!!」

「あたしも見たよ。超目立ってたから、廊下歩いてたら、一発でわかったよ。あれが木下くんかーって。哀れになったね」

「ねぇ、次はどうしよう？　ほんと、なんでも言うこと聞くよ、あいつ。おもしれっ!!」

「おまえな……本来の目的見失ってるぞ。完全に楽しむためにやってるだろ」

「んなことねーよ！　ちゃんとした調査だよ……くっくっくっ」

堪えきれず人を嘲《あざけ》る笑みが、その可愛らしい口から不似合いに零《こぼ》れる。

「じゃあさ、次はさ、あのアフロにさ、串カツ刺してきてもらおうよ。今晩の学食のメニューさ、串カツ定食だから

さっ、何本も串カツをアフロに刺して登校してもらおうよ、くくっ」

「アフロまではヘアースタイルとしてなんとか納得できるけどさ、アフロに串カツ刺すって完全な奇行じゃん？　どう吹き込むつもりだ？」

「そりゃ、簡単だよっ。串カツ食いたい時に、木下くんのアフロに串カツ刺さってたら便利でいいなー、いつも近くに居たくなるなーって言えばいいんだよ、くくくっ」

ほんとみゆきちは、鬼畜だ……。

私はひとり、ベースの練習を再開した。

翌日。

「やべー！　串カツほんとに刺さってた!!」

みゆきちはすでに涙を浮かべている。相当笑った後なんだろう。

「ああ、今朝見たよ。見事に刺さってた」

「で、友達に食わせろよってなってウケた！　そしたら、やめろよ！　とか言って、よけるの。超ウケる!!」

「で、食べてあげたの？」

「食うかよ!!　一日置いてんだよ？　冷めてるし、そのままトイレ入ってたりするんだよ？　ばっちぃ！」

やばい、みゆきちは完全に暴走している……。こんな世界では無理もないかもしれないが……。それでも、みんな神に復讐するために真面目に過ごしているってのに……。

「明日はさぁ、浮き輪付けさせてこさせるよっ。泳ぎもしねぇのに、浮き輪。ボンタンにアフロに串カツに浮き輪って、あたしらより個性ありすぎだろ、NPC！」

ばちぃん！

私はその頬を思い切り叩いていた。

みゆきちの視点が定まらず虚空《こくう》を彷徨《さまよ》っていた。

呆然《ぼうぜん》としていた。

そのみゆきちに私は言ってやる。

「NPCには私たちのように魂はないのかもしれないけど、それでも人よ？　同じ感情を持ち合わせてるの。木下くんはとりわけ純情なのよ！　死ね、以外の命令はあなたにぞっこんなんだから、そりゃやるわよ！　それをあなたは面白がってもてあそんで……人として恥を知りなさい!!」

「そ、そんな……しおりんも一緒に楽しんでくれてるって思ってたのに……」

「そんなゲスがやるようなこと、楽しめるはずなんてないじゃない！　木下くんのほうがよっぽど人間らしいわ」

「あたしが……NPC以下だって言うの……」

「そうよ。悔い改めなさい」

「うっ……ぐすっ……」

みゆきちは肩を揺らしてしゃくり上げ始めると……

「うわーん!!」

両手で顔を覆って走り去ってしまった。

やれやれ……。

その後、私は木下くんに事情をすべて話した。もちろんNPCというのは抜きにして。

「ごめんね。あなたが思い通りになるもんだから、あいつ調子に乗っちゃって」

「じゃあ、僕の恋は……片思いだったということなんだね……」

ショックを隠しきれず、頭を垂れる木下くん。

「まー……そういうことだねぇ……」

「わかりました。でも、僕は泣いたりなんかしないよ。なぜなら、新たな恋を見つけたから」

がばりとその顔を上げていた。

「へー、それはなによりで」

「あなたにだ！」

「へ!?　私？」

「そうっ、関根さん、あなただ！　奴隷同然だった僕を救ってくれたあなたに恋をしました！」

「そ、そう……」

「関根さん！　僕と付き合ってください!!」

「いや、それはどーかなー……」

「アフロが好き!?　それともリーゼント!?　あるいは角刈りとか!?」

「いや、あたしはあいつと違ってノーマルだし……」

「じゃ、ありのままでいいってことだね!?」

「あー、いやー、そういうことじゃ……えっと……さよなら!!」

その場からダッシュで逃げ去った。

と、まあ、みゆきちは、決して悪い奴ではないんだが、男子NPCをたぶらかす鬼畜外道だ。

■■■■■■

そして最後に紹介するのが、我らがガルデモのフロントマン、岩沢先輩だ。

ひさ子先輩を傲慢な悪魔、みゆきちを鬼畜外道とするなら、岩沢先輩は、音楽キ○ガイだ。

この人はほんと、音楽のことにしか興味を示さない。

そして、意味不明な言動ばかりしてはバンメンである私たちを惑わすのだ。

その日も空き教室を使って、四人で練習をしていた。

イントロが終わり、Aメロに入っても、岩沢先輩は歌わなかった。

皆も演奏の手を止める。

「どうした、岩沢？」

ひさ子先輩が訊く。

「どぅるっどぅどぉーや」

意味不明。

はい？　え？　という声が交錯《こうさく》する。

「関根」

私が呼ばれた。

「え、はいっ」

「イントロの終わり、Aメロに入る直前は、どぅるっどぅどぉーや」

「あ、ああ、どぅるっどぅどぉーですね。わかりました！」

「じゃ、もういっぺんいくぜ！」

「はい！　ワン、ツー！」

ひさ子先輩の声を合図に、再び入江がカウントを取る。

イントロが始まり、Aメロへ雪崩《なだ》れ込む。

「……ちがう」

マイクが拾っていたのは歌ではなく、呟きだった。

「ちがう」

再び演奏が止む。

「関根」

また私の名が呼ばれた。

「それは、どぅるっどぅどぅーや」

スピーカー越しに責められる。

「いや、でも、どぅるっどぅどぅーって言いましたよね？」

「言うてへんわ‼　あたしが言うたんは、どぅるっどぅどぉーや‼」

「同じじゃないですか」

「どぉーがちゃうやんけ‼　どぅーやあらへん！　どぉーや‼」

「最後のところですか？」

「そうや……」

ちなみに岩沢先輩はずっとマイクに向けて喋っている。一向にこっちを見てくれない。目も見えないので恐い。

「じゃ、もう一回行くかっ」

ひさ子先輩の気を取り直そうとする声。

「はい！　ワン、ツー！」

イントロからAメロへ。

「ちっがーう！！！」

今度はシャウトしていた。

演奏が止む。

「関根」

また私の名が呼ばれた。

「は、はい……」

「おまえが弾いてんのは、どぅるっどぅどぅーや。あたしが言うとんのは、どぅるっどぅどぉーや!!」

「でも、リズムはちゃんと同じだし……」

「『どぅー』と『どぉー』では全然ドライブ感がちゃうやんけ!!」

「でも、そんな微妙なニュアンスの違い、私の技術では、というかベースでは表現できないというか……」

「なら、言うたらええんとちゃうんか」

「はい？」

「最後、『どぉー』って言うたらええんとちゃうんか。なんのためのコーラスマイクや」

「コーラスのためのマイクかと……」

「でぇへんかったら、口で言うたらええんと違うんか!!　それでドライブ感が出るんやったら、ええんと違うんか!!」

「でたら、それでいいですけど……マイクに『どぉー』って言って、それでドライブ感がでるんですかねぇ……」

「あと、入江ぇ！」

今度はみゆきちに怒声が飛ぶ。

「な、なんでしょう……」

「ズンパンうるさいんじゃ!!」

ドラムの存在意義を奪い去った！

「それがドラムという楽器かと……」

「もっとあっさりでええわ。育毛トニック振りかけた後の、しゅわ～ぐらいの感じでええわ」

「いや、育毛トニックなんて付けたことないので、それをドラムでどう……」

「シンバルをロールするぐらいの感じでええんとちゃうんか!!　っていうのを小粋にたとえて言うてみたんじゃ!!」

そんな大人のトークも通用せんのかい!!」

「あ、ロールですかっ……はい、わかりましたっ」

「すげー地味な曲になりそうだが……」

ひさ子先輩もさすがにか、懸念《けねん》の表情で漏らす。

「ひさ子も、浮かれてる場合やないで」

「別に浮かれてねーが……」

「出だしのギター、じゃーん！　って思い切り弾くのやめや。アホみたいやで。ギター覚えたてのガキが喜んで弾いてるみたいや。おまえはキッズか」

「じゃ、どう弾けっつーんだよ」

「ヘッドのこの部分弾け」

「どこだよ」

「弦巻いてあるところとナットの間の部分じゃ！　弦あるやろ！　そこ弾いたら不意打ちすぎて聴いてる客は痺《しび》れるんちゃうんか!!　心鷲《わし》づかみにして入り方としては最高なんちゃうんか!!」

「マジかよ……わかったよ……じゃ、もう一回行くぞ！」

「はい！　ワン、ツー！」

「それも、うっさいねん！　これだけ長い間やってんやから、合図言わんでもあうんの呼吸で入っていけるやろ!!　カウントなんかいらんわ!!」

「わかったよ…じゃ、行くぞ！」

……。

……。

……。

しゅわわわわわわ～

ピゥン！

どぅるっどぅどぅ…

「どぉー」

「なんやこれ！　わけわからんわ!!」

「おまえがやれ言ったんだろ!!」

全員でキックをかましてやった。

と、まあ、このぐらい岩沢先輩はイッちゃっている音楽キチだ。

以上、ガールズデッドモンスター、略してガルデモの活動日誌、初日はメンバーの紹介でした。

「ふぅ……」

あたしはペンを置く。

「おつかれさん」

と同時に、がしり、と肩を強く押さえつけられた。

「へー、面白い内容だねぇ」

この声は……ひさ子先輩？

振り返ると、メンバー三人が部屋に揃っていた（うち、みゆきちはルームメイトだが）。

一瞬で血の気が引く。

「あたしは、いかさまなんて卑怯な真似、一度たりともしたことねーが？」

口の端がぴくついてるひさ子先輩、恐い……。

「ねぇ、しおりん、誰が男子NPCをたぶらかす鬼畜外道だってぇ？」

あの温厚なみゆきちも珍しく、青筋（怒りマーク）を額の隅に浮かべて笑っている……。

「そもそもおまえのイタズラでライブが無茶苦茶になってその反省として、バンドの活動日誌を書かせ始めたわけだ

-Track ZERO-

が、初日からなんてでたらめな内容を書いてくれてんだよ……喧嘩売ってんのか、てめー」

掴まれた肩に指がぐいぐいと食い込んでくる。

「ひぃーっ、痛いです、ひさ子先輩!!」

「いいです。今日だけはあたしが許します」

「なぁっ!? みゆきちまでっ!!」

「あたしなんかまだマシなほうだぜ……一番しっちゃかめっちゃかに書かれてんのは岩沢だ……こいつは、マジやべーぜ?」

「ひぃぃ……」

恐怖に震えながら、ひさ子先輩と一緒に部屋の入り口を見る。

そこに立つ岩沢先輩は……

「ん？　どーかした?」

飄々《ひょうひょう》としていた。

「いや、今、読んだろ、これ……」

「ああ」

「怒らねーの?」

「何を?」

「いや、岩沢、おまえ、キチ扱いされてんぜ？　しかもエセ関西弁でだぜ？　キャラぶっ壊されてるぜ?」

「日誌なんだから、思ったこと書けばいいんじゃない？　それよか、新曲ができたから、関根と入江にも聴かせてやろうって夜も遅いのに部屋まで来たんじゃないか。早く聴かせてやろうよ」

言って、担いでいたケースを下ろし、ギターを取り出し始める。

この時、私の日誌のせいでばらばらになりかけていたみんなの心は再びひとつになったのだった。

……うん、こいつだけは音楽キチだ。

と。

# 番外編Ⅱ 月曜日の未明Ⅱ



今回はガルデモ定例会議のレポートである。

「最近うちらのライブ、盛り上がりに欠けとる」

とライブ後の楽屋（空き教室）で岩沢先輩が口を開く。

「そうか？　十分盛り上がってると思うが？」

汗を拭きながらひさ子先輩。

「そりゃうちがキラーチューンばっか書いとるからや！　そりゃええ曲演奏したら盛り上がるわ！　でも、そればかりやとまんねりや。何年、続けとるんやって話やで⁉　ふつーやったら三年で卒業できるのにこの世界では、ずっと三年生のままや。うちの曲を書く才能だけが浪費され、食いつぶされていっとんねん！　ぶっちゃけおまえらなんもしてへんねん！　新曲上がったらいけしゃあしゃあと己のパートのみ練習しやがって。いつまでうち頼みなんや！　おまえらもなんかせーや！」

相変わらずのキチ具合である。

「じゃ、あたしも曲書こーか？」

ひさ子先輩の提言。

「キラーチューン書けるんか」

「いや、岩沢ほどのキラーチューンは書けねぇかもしれねぇけど」

「なんや、アルバムにギリ入っていてもオーケー的な曲か！　んなもんいらんわ！」

「じゃあ、頑張って盛り上がる曲書くよ」

「ガルデモの曲舐めるなよ……この世界にオリコンあったら、全曲一位じゃ！　うちはそれぐらいキラーなチューンばかり揃えとんねん！　生きてたら秋元康に嫉妬されるレベルじゃ！」

どこからその自信は来るのだろう……。

「おまえの曲はせいぜいそのカップリングぐらいがお似合いじゃ。とりあえずシングルの体裁整えるだけのな。アルバムには無論収録されへん！」

「ひでー言われようだな……」

「曲とかはええねん。作曲はうちが頑張るさかいな。これからも頑張ってキラーチューン書いてくから、おめーらは安心せえ。せやから楽器を弾くしか今んところ能のないおまえらが他の部分で頑張れるところがないか、それを話しおうとるんやろ！　入江っ、なんかないんか！」

「スク水でドラム叩くみたいなー？　NPCの男子、あたしに釘付けーみたいなー？」

「スク水なんてあめーよ。パンツ一枚で叩くぐらいのことせぇや！」

「え？　上は？」

「手ブラや」

「待て待て、それでどうやってドラム叩くんだよ」

ひさ子先輩の冷静なツッコミ。

「うまい具合にさっと叩いてさっと隠せば、ドラムも叩けるし、ぱいおつもぎりぎりなところで隠せるやろ！」

「や、ぜってー、どちらかがおろそかになると思うぜ？　つか、ぜってー見えるから！」

「ほな見せたらええやろ！」

身も蓋もない意見が飛び出した！

「でも、それって一発ネタというか、その日は盛り上がるかもしれませんが、これから先みゆきちがずっとトップレスだったら、そういう立ち位置ってことで落ち着いていくんじゃ……」

とあたしもひさ子先輩に加勢。

「せやな。入江のぱいおつにそこまでの魅力はないなー」

「そんなーっ、そりゃ微乳ですけどー、こういうのがまたいいというかー、フェチには堪らないというかー」

「脱ぎたいのかよっ、おまえは」

「他に案はないかー。曲はうちがキラーチューンを書いていく」

この人はキラーチューンって言いたいだけなんじゃないだろーか……。

「ひさ子、なんか新しい弾き方発明せえや」

「なんだよそれ……」

「ジミヘンは歯で弾いた。ヴァンヘイレンはライトハンドを確立した。ヨンシーはボウイング奏法でディストーションギターを奏でた。せやったら、ガルデモのリードギターのおまえもなんか発明したら、それで盛り上がるんちゃうんか！　それがあったら、客がわー！　ってアホみたいに気が○れたみたいに盛り上がる必殺技になるんちゃうかとゆうとるんじゃ!!」

「つっても、ギターの奏法に関しては発明されつくした感があるぜ？」

「なんか残っとるはずや。簡単に諦めんなや。……せや。ギターを見つめる、ってのはどうや？」

「は？」

「ギターをスタンドに立てておいて、それを腕組みしながらひたすら見つめるんや。どや、これは新しいやろ！」

「それ、弾いてないだろ」

「弾いてなきゃあかん、そんな常識にとらわれとるから思いつかんのじゃ！　おまえ、Ｃｒｏｗ Ｓｏｎｇの間奏で、それ、せぇや」

「え？　ギターをスタンドに置くのか？」

「せや。そして、じっと見つめ続けるんや」

「ギターソロは？」

「それがギターソロや！　みんな、『なんや、この行動は……』って、むっちゃ注目されるで」

「だろうな……」

「でもおまえは腕組みしながらじっとギターを見つめてるだけなんや……」

「それでお客、わー！　ってなるか？」

「最初は度肝抜いて呆然やろうけど、二回目からはなる」

「まじかよ……」

「この奏法は、おまえが発明したことにしてええわ。ひさ子奏法って名付けて確立させてけや」

「弾いてないから」

「で、ベースの関根」

あたしに顔が向く。

「はいっ」

「弦、べろんべろんにして弾けや」

「べろんべろんとは？」

「弦がべろんべろんに長いままでチューニングしたら、オクターブふたつ下ぐらいになって超低音になってインパクトでるんちゃうか、ゆうとるんじゃ！　それぐらいさっと理解せぇや！」

「たぶん、そこまでいくと音程にならないかと……」

「ならゆうたらええんとちゃうんか」

「え？」

「なんのためのコーラスマイクや！」

-Track ZERO-

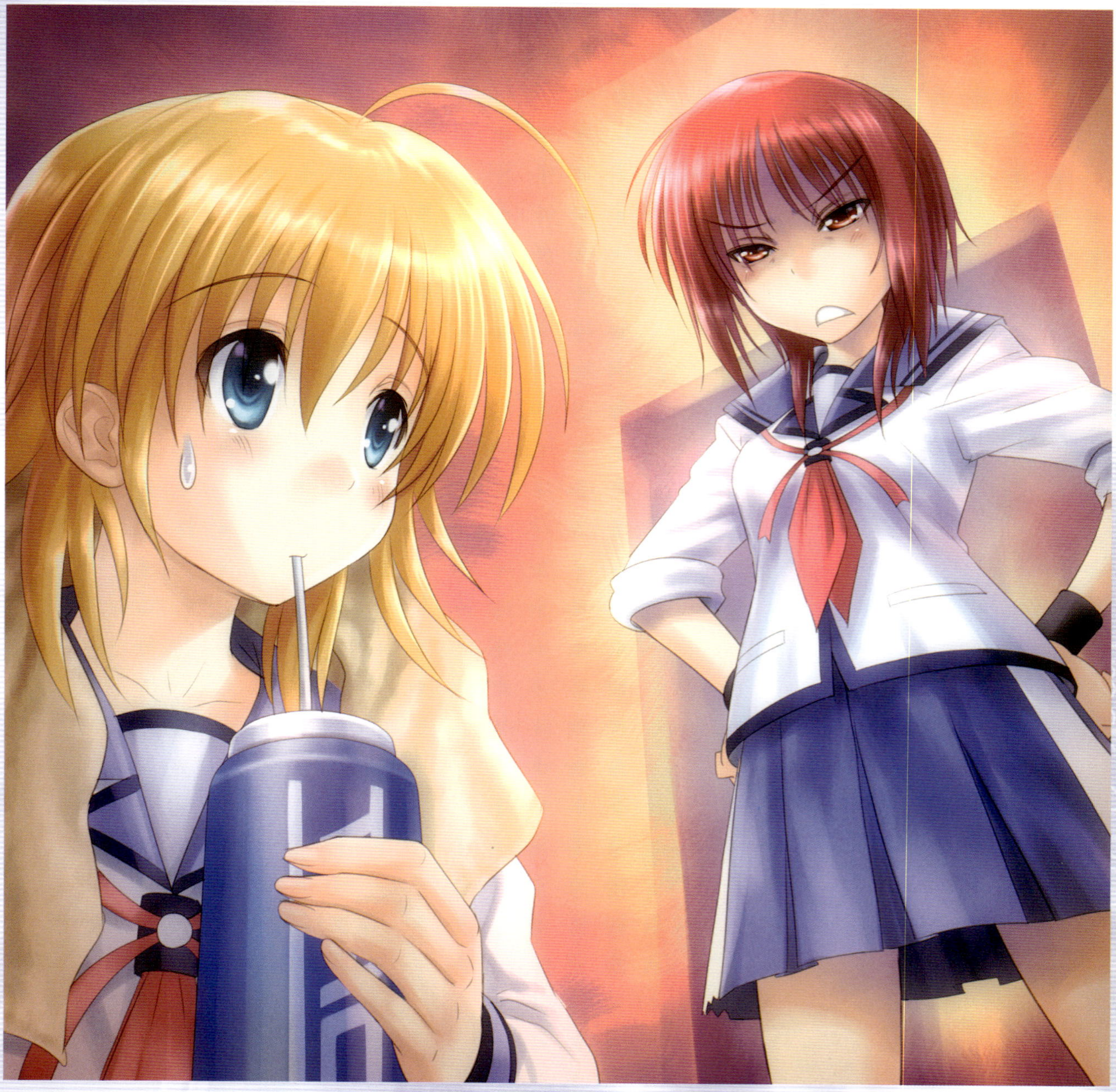

「コーラスのためのマイクかと……」
「音程にならへんのやったら、口で、どぅるっどぅどぉーってゆうたらええんちゃうんか！　そうゆうてるんじゃ‼」
「は、はあ……」
「じゃ、次のライブはこれでいくぞー。定例会議終了」

「反省会始めるぞー。うちはめっちゃ怒ってるからな。覚悟しとけよ」

「……」

「まず、入江。なんでバスドラだけやったんや」

「だって、手ブラじゃ、スティックすら持てなかったんですよ！」

「スネアもフィルもなかったから、ぜんっぜん盛り上がらんかったわ！　逆効果じゃ！　この露出狂が！」

「ひぃんっ……」

「で、次はひさ子、おまえや。何ライブ中にギター置いて、突っ立っとんねん！　客ぽかーん、なってたわ！」

「おまえがそうしろって言ったんだろっ」

「誰が突っ立っとるだけでええゆうた！　おまえのはそれがエンターテイメントになってなかったねん！　ただ突っ立ってただけやないか！　心に訴えかけるもんがぜんぜんないんや！　結果Crow Songのおまえはただ単に演奏をさぼった人になっとったで！」

「自分でもわかってたよっ」

「最後に、関根」

「はい」

「弦、だるんだるんすぎるやろ！」

「それも先輩がそうしろって……」

「で、口でなんてゆうてた」

「どぅるっどぅどぅー……って」

「どぅるっどぅどぉーや！」

「同じじゃないですか」

「よう聞け！　最後はどぅーやない、どぉーや！　ぜんぜんドライブ感がちゃうやんけ！」

「そんな違いでは根本的な解決には至らないような……」

「そこで次のライブでは、今日の反省点を踏まえ話し合いたい」

ぜんぜん聞いていない……。

「もう普通にやろうぜ？」

「いや、今日のライブで手応えは掴んだ。いつもと観客の反応が明らかにちごおてた……」

「異様すぎて引いてただけだよ……」

「いや、何かが来る……その前兆のようなものをみんな察知して静まり返ったんや……。新しいガルデモの誕生……その目撃者となるべく待っとるんや。それに応えんでどうすんねん！　このタイミングしかあらへんやろ！　時は満ちたんや……まず入江！」

「は、はい……」

「スネア、頭突きで叩けや」

「ええっ⁉」

「ヘッドバンキングも兼ねて、お客さん、むっちゃ盛り上がるやろ！」

「いやいや、そんな、ずっと頭突きなんて……途中で頭に血が回りすぎて気絶するぜ……？」

「それはそれでロックやろ！」

「アリなのかよ……入江、できるのか？」

「岩沢先輩には逆らえないので、やってみます……」

「次に、ひさ子、おまえや。おまえも新しい奏法を編み出さなあかん」

「奏法にしてくれよ。もう見つめるだけ、とかやめてくれよ……」

「ギタースタンドに立て掛けるんや」

「また弾かねーんじゃねーかよ‼」

「今度は見つめるだけやない。操るんや……」

「どうやってだよ……触っていいんだよな？」

「触ったら音出るに決まっとるやろ‼　ハンドパワー的なもので弾けや‼」

「んなパワー持ち合わせてございませんよ⁉」

「ひさ子な、おまえ、曲がりなりにも死んでるんやろ。霊的現象ぐらい起こせや。怨念をギターに向かって飛ばせや。そしたら、ギターものごっつ苦しみだして、ぎゅわんぎゅわん！　音出すわ」

「むしろギターは愛してるんだがな……」

「関根は、今度はちゃんとドライブ感だせや」

「どぅるっどぅどぉー、ですよね…？」

「せや。ほな、いくで！」

「反省会始めるぞー。うちはめっちゃ怒ってるからなー。覚悟しとけよ」

「……」

「まず、入江、途中で演奏やめんな！」

「入江は気絶してたんだが……そりゃあんなことしたら血が頭にのぼってえらいことなるぜ……」

「なんや、その非難めいた目は」

「めいた、じゃなく、非難の目だ」

「おまえらがなんも思いつかんから、うちが苦肉の策で考えてんやろ！　どっちかゆうたら憎しみより愛寄りやろ！　そんなちょい愛が伝わらんのか、おまえらには！　何百年ガルデモやってきてんのや！」

「さすがに百年はいってないだろうけどさ……」

「なら自分で考えろや、入江、ええな⁉　ひさ子も人のこと笑ってる場合やあらへんで？」

「笑ってないから」

「突っ立っとっただけやないか‼」

「あたしなりに気は飛ばしていたよ‼」

「もっとギターを恨めや‼　怨念が足らんのじゃ‼　ギターに胴体を真っ二つに裂かれてこの世界来たんやろ‼」

「そんな不思議な死に方してねーよ……」

「結果Ｃｒｏｗ Ｓｏｎｇのおまえはまた単に演奏をさぼった人になっとったで」

「自分でもわかってたよっ」

「そろそろ入江、思いついたか、言ってみろ」

「じゃ、素手で叩くとか……」

「おまえ舐めとんのか。頭突きでスネア叩いて、ガルデモのドラマーとしてキャラが立ってきたところやで？　それで次が素手って、エンターテイメントとして退化しとるやん？　お客さん、冷めるで？」

「なら、どうしたらいいでしょう……」

「サビに入ったらドラムセットにダイブせぇや。それでおまえが暴れたら、サビ、無茶苦茶盛り上がるんとちゃうんか！」

「リズムとかビートは……」

「なんのためのベースや。ベースがドライブ感キープしとるからおまえは心配せず暴れたらええ！　ものすごいカタルシスが生まれるわ……」

「サビが終わって、二番に入ったらどうすんだよ？」

「ささっとドラムセット直せや。一小節だけブレイク作ったるからその間にさっと整えて、涼しい顔でまたＡメロから叩き始めろや」

「わ、わかりました……」

「やるのかよっ……」

-Track ZERO-

できるのか……。

「さて、入江がここまでやるわけや。ひさ子もキッズが喜ぶ程度のまねじゃ済ませられへんで？」

「嫌なプレッシャーかけるなよ……」

「ピックを鋭利なガラス片のように研いどけ。いや、もうカッターナイフでええわ。カッターナイフ、ピック代わりに使えや」

「それでなんになるんだよ……」

「サビの盛り上がったところで、弦が耐えきれんようなって、ぶちんぶちん！　切れまくって、ものごっついカタルシスが生まれるとちゃうんか！」

「演奏できねーよ！」

「なんのためのベースや！　ベースがドライブ感キープしとるからおまえはなんも心配せずぶちんぶちん！　弦切って暴れたらええ！」

「サビが終わって、二番に入ったらどうすんだよ？」

「ささっと弦張り直せや。一小節だけブレイク作ったるからその間に張って、涼しい顔でまたAメロから弾き始めろや」

「一小節じゃあ弦張ってチューニングまで無理なんだが……」

「やってみろや！　チャレンジする前から無理です、ゆうんはキッズの証拠やで!!」

「キッズじゃないから不可能ってわかるんだが……」

ひさ子先輩は実に大人だ。

「で、関根」

また最後にあたしに目が向く。

「おまえはひさ子や関根が暴れて、カタルシスを感じさせている間に何するんや」

「どぅるっどぅどぉー……ですよね？」

「関根がドラムに体当たりして、ひさ子がすべてのぶっとう六弦まで切っとんのやで？　どぅるっどぅどぉー！　で場が持つかい！」

「じゃ、なんて言えば……」

「どぅるっどぅどぅびどぅわぁーや」

「どぅるっどぅどぅびどぅわー……」

「最後、伸びが足りてへんねん！　どぅるっどぅどぅびどぅわあぁぁああ——や！」

「どぅるっどぅどぅびどぅわあぁぁああ———!!」

「そうや。やればできるやないかっ。このウーハーキチがっ！　拍手は鳴りやんでないな。さすが腐ってもガルデモやな……」

いつの間に腐ってたんだろう……。

「じゃ、アンコールのCrow Songいくで!!」

■ ■ ■ ■ ■ ■ ■

「ふぅ、終わったな……。ちなみにうちはめさめさ怒ってるからなー。覚悟しとけよ。Crow Songのサビ……誰も演奏しとらんやないか！　ドラムセットは総倒れ、ひさ子は全部の弦を切って無音、ベースに至っては、口だけで、どぅるっどぅどぅびどぅわあぁぁ——って、なんじゃそれ!!」

「おまえがそうしろって言ったんだろが———!!」

全員で蹴りをかましてやった。

と、まあ、それぐらい、岩沢先輩は、音楽キチなのである。

以上、ガールズデッドモンスター、略してガルデモ定例会議のレポート、初日でした。

■ ■ ■ ■ ■ ■ ■

「ふぅ……」

あたしはペンを置く。

「おつかれさん」

と同時に、がしり、と肩を強く押さえつけられた。

「へー、面白い内容だねぇ」

この声は……ひさ子先輩？

振り返ると、メンバー三人が部屋に揃っていた。

一瞬で血の気が引く。

「また罰則なのに、好き放題創作しちゃってくれてるじゃねーか……関根、んん？」

口の端がぴくついてるひさ子先輩、恐い……。

「ねぇ、しおりん、誰がトップレスでドラム叩くって？」

あの温厚なみゆきちも珍しく、青筋を額の隅に浮かべて笑っている……。

「そもそもおまえの活動日記が嘘まみれで、その反省として、ガルデモ定例会議のレポートを書かせ始めたわけだが、なに初日からまた性懲りもなくでたらめな内容を書いてくれてんだよ……喧嘩売ってんのか、てめー」

掴まれた肩に指がぐいぐいと食い込んでくる。

「ひぃーっ、痛いです、ひさ子先輩!!　そして、なんとなくデジャヴュ！」

「いいえ、そんな記憶はあたしにはまったくありません。思うままどぞ」

「なぁっ!?　みゆきちまでっ!!」

「あたしなんかまだマシなほうだぜ……一番しっちゃかめっちゃかに書かれてんのは岩沢だ……こいつは、マジやべーぜ？」

「ひぃぃ……」

恐怖に震えながら、ひさ子先輩と一緒に部屋の入り口を見る。

そこに立つ岩沢先輩は……

「ん？　どーかした？」

飄々《ひょうひょう》としていた。

「いや、今、読んだろ、これ……」

「ああ」

「怒らねーの？」

「何を？」

「いや、岩沢、おまえ、キチ扱いされてんぜ？　しかもエセ関西弁でだぜ？　キャラまたぶっ壊されてるぜ？」

「レポートなんだから、感じたこと書けばいいんじゃない？　それよか、新曲のブリッジが新しくできたから、関根と入江にも聴かせてやろうって夜も遅いのに部屋まで押し寄せたんじゃないか。早く聴かせてやろうよ」

言って、担いでいたケースを下ろし、ギターを取り出し始める。

この時、私の日誌のせいでばらばらになりかけていたみんなの心は三度《みたび》ひとつになったのだった。

……うん、相変わらず音楽キチだ。

と。

# 麻枝准

## 少しでもなにか発見があれば、そして楽しんでいただければ幸いです。

本当に、小説は書けないんですよ！（汗。

これはSSです！　稚拙な文章で誠に申し訳ございません。

そこを、ごとPさんの手による可愛らしい天使やゆり、そして男前な日向など、ビジュアル面で美しく飾っていただき大変助かりました。

前回『光見守る坂道』で苦楽を共にし、またもこんな大変な仕事を引き受けてくださってありがとうございます。再びタッグを組めて幸せでした。

これを読んだところで『Angel Beats!』の謎は解けないかもしれませんけれど（汗
少しでも何か発見があれば、そして楽しんでいただけたら幸いです。


これだけ下手なので、文章で会う機会というのは、もうなかなかないと思いますが、また何らかの形で皆様とお会いできる日を楽しみにしています。

ありがとうございました！

PROFILE

■出身地：三重県　■誕生日：1月3日　■血液型：O型　■好きなアニメ：無責任艦長タイラー
■好きなゲーム：ワンダと巨像　■好きな『Angel Beats!』のキャラクター：みんな
■書いてみたい『Angel Beats!』のエピソード：月曜日の未明Ⅲ、Ⅳ、Ⅴ、Ⅵ、Ⅶ…

# ごとP

## 週ごとに一喜一憂して、次の放映を待ちきれない思いで過ごしています

『光見守る坂道で』に続きまして、再び麻枝さんにお呼ばれさせていただきました。本当に光栄な事です。

最初にこの企画をおうかがい時、やはり前回の連載が思い浮かびまして、あの調子で乗り越えられると高を括ってたのですけども、いざ始まってみたらまた別の厳しさがありました。

光見守る～の時は本編をクリアした後でしたので、キャラの咀嚼や思い入れの蓄積があったのですが、今作の連載時ではそれがあまりこなれてない状態からの開始になってしまいました。

僕は現在、皆さんと同様に週ごとに一喜一憂して、次の放映を待ちきれない思いで過ごしているのですが、同時に「ああ描いてれば良かった！」と思うことしきりだったりします。今回単行本化にあたっては、その辺もある程度フィードバックできたらという思いで作業させていただきました。アニメとの親和性が多少なりとも上がってればよいのですけど。

そして、読者様には、アニメ本編共々楽しんでいただけましたら幸いです。

それにしても、『Angel Beats!』ではあらためて麻枝さんの才能に当てられっぱなしでした。本当に凄い方です。編集部さまにも大変お世話になりました。いっしょにお仕事させていただけまして、心より感謝しております。
またいつかこのような機会が訪れる事を祈りつつ…それではまた。

PROFILE

■**出身地**：岐阜県　■**誕生日**：6月12日　■**血液型**：O型でした　■**好きなアニメ**：かみちゅ！、富野ガンダム
■**好きなゲーム**：CLANNAD、スパ2X　■**好きな『Angel Beats!』のキャラクター**：天使（奏）
■**『Angel Beats!』のエピソード**：TK、高松などのSSS参加エピソード。または直井の音無ストーキング日記。

# Angel Beats!
エンジェルビーツ
-Track ZERO-


発行　2010年6月23日　初版発行

**■文&原作**
麻枝准（Key）

**■Illustration**
ごとP

**■Character Design**
Na-Ga（Key）

**■編集**
電撃G'sマガジン編集部／
株式会社エストール

**■デザイン**
株式会社エストール

**■発行者**
髙野 潔

**■発行所**
株式会社アスキー・メディアワークス
〒160-8326 東京都新宿区西新宿4－34－7
TEL：03-6866-7322（編集）

**■発売元**
株式会社角川グループパブリッシング
〒102-8177 東京都千代田区富士見2－13－3
TEL：03-3238-8605（営業）

**■印刷・製本**
共同印刷株式会社

**■DTP制作**
株式会社エストール





Printed in Japan

ISBN 978-4-04-868680-8
C0076